Anna Elisabeth Röcker

YOGA

Sieben individuelle Programme für Körper und Seele

Weltbild

Inhalt

Vorwort

Liebe Leserin, lieber Leser,

fragen Sie sich, warum ich Ihnen mit diesem Buch einen weiteren Yoga-Ratgeber an die Hand geben möchte? Die Antwort liegt in den vielfältigen Lebensproblemen, mit denen wir heute in besonderem Maße konfrontiert sind und für deren Bewältigung wir Unterstützung benötigen. Der Yoga-Weg bietet diese Hilfe auf allen Ebenen und für alle Lebenssituationen. In den Jahrzehnten meiner Yoga-Praxis und meiner langjährigen therapeutischen Tätigkeit fand ich das immer wieder bestätigt. Yoga kann selbst in schwierigsten Lebensphasen Stabilität, Mut und Selbstvertrauen vermitteln und so die Basis schaffen, Probleme anzuschauen und zu lösen.

Seit vielen Jahren liegt der Schwerpunkt meiner ganzheitlich orientierten Therapiepraxis auf psychologischer Ebene (Musiktherapie und Analytische Psychologie nach C. G. Jung). Diese Arbeit zeigt mir täglich, wie eng Gefühle und Gedanken mit dem Körper verbunden sind und wie stark beide Seiten einander beeinflussen. Deshalb möchte ich in diesem Buch besonders den körperlichen Aspekt des Yoga hervorheben, denn angesichts der zunehmenden psychischen Belastungen des Alltags – beispielsweise durch Ängste oder Stress – spielt die Stabilisierung der körperlichen Basis eine sehr wichtige Rolle. Sie ist die beste Grundlage, um sich mit Problemen und emotionalen Herausforderungen auseinandersetzen zu können.

Anna E. Röcker Mehr zur Autorin und ihrer Praxis erfahren Sie unter www.annaroecker.de

Leider wird die Bedeutung von Gesundheit und Wohlbefinden im Körper oft erst erkannt, wenn beides nicht mehr so verlässlich vorhanden ist. Aus über 30 Jahren Yoga-Erfahrung weiß ich, wie hilfreich dieser Weg ist, um das Vertrauen in den eigenen Körper und damit die Lebensfreude zu erhalten und gleichzeitig die Verbindung Körper-Seele-Geist zu stärken.

Ich stelle Ihnen Yoga-Programme für die wesentlichsten Aspekte von Körper, Geist und Seele vor, die es Ihnen auch als Anfänger oder Anfängerin ermöglichen, schon bald die wohltuende Wirkung des Yoga zu erleben.

Aber natürlich ist dieses Buch auch hilfreich, wenn Sie sich einfach am Yoga erfreuen möchten, wenn der Wunsch nach mehr echter Lebensfreude und Lust am eigenen Körpererleben der Grund dafür ist, zu diesem Buch zu greifen. Eine alte Yoga-Schrift sagt: »Yoga macht schön« – und das bis ins hohe Alter. Auch das könnte ein Anreiz für Sie sein, sich mit Yoga zu beschäftigen und nicht nur fit zu bleiben, sondern auch schön.

Ihre *Anne E. Röcker*

Yoga – für
ein Leben in Fülle

Bedeutung und Grundzüge des Yoga

Die Lehre vom Halten der Balance

Yoga zieht immer mehr Menschen in seinen Bann. Diese jahrtausendealte Weisheitslehre ist so umfassend und vielfältig und gleichzeitig überraschend einfach, dass es nahezu für jeden Menschen möglich ist, damit immer wieder die lebensnotwendige Balance zu finden oder zu halten. In erster Linie bietet der Yoga-Weg Anleitungen für einen gesunden Lebensrhythmus. Energiegewinnung und Energieverausgabung, Entspannung und Anspannung, Loslassen und Festhalten sind nur einige der Polaritäten und Rhythmen, von denen Gesundheit und Wohlbefinden abhängig sind.

Es gibt keine Lebenssituation, für die es im Yoga nicht eine entsprechende Hilfe gibt, sei es bezogen auf körperliche Beschwerden wie beispielsweise Rückenschmerzen, auf die Verbesserung der Konzentrationsleistung oder auf den Umgang mit seelischem Schmerz. Der Yoga-Weg ist so vielfältig wie der Mensch in all seinen Aspekten.

Die kulturellen Wurzeln des Yoga

Das Wort »Yoga« (»Yui«, Joch) kommt aus der altindischen Sprache Sanskrit. Mit dem Bild des Jochs wird das Anjochen oder Zusammenbinden verschiedener Teile ausgedrückt. Das Symbol bezieht sich auf ein alltägliches Bild im alten Indien: zwei Ochsen, die miteinander vor einen Wagen gespannt sind. So kann ihre ursprünglich ungezähmte Kraft verbunden und sinnvoll eingesetzt werden. In den alten Yoga-Schriften findet sich dazu auch eine Parabel, die den Menschen als Reisenden auf dem Weg durchs Leben zeigt. Der Körper ist dabei der Wagen oder die Kutsche, und der Kutscher ist der Verstand. Die fünf Pferde, die an den Wagen angeschirrt sind, stellen unsere fünf Sinnesorgane und die damit verbundenen Begierden und Wünsche dar. Die Zügel stehen für die Anweisungen auf dem Yoga-Weg. Der Fahrgast ist die Seele, die sich dieses Gefährts bedient. Dieses symbolische Bild verdeutlicht, dass es nichts nützen würde, nur den Wagen zu pflegen oder die Pferde, die in alle Richtungen streben, immer wieder zurückzuholen, sondern dass es nur ein Vorwärtskommen gibt, wenn alle Teile im Einklang sind.

Dieses Symbol des Miteinanderverbundenseins ist nach wie vor sehr aktuell. Auch wir heute wissen, wie wichtig es ist, all unsere Kräfte zu bündeln, um ein Ziel zu erreichen, um uns nicht zu verlieren in der Vielfalt des Lebens. Nur wenn wir mit Kopf, Herz und Bauch, also mit Verstand, Gefühl und Willen handeln, werden wir die Herausforderungen des Lebens bewältigen. Yoga bedeutet demnach, dass wir diese Ganzheit immer wieder herstellen müssen, zum Beispiel indem wir uns auf unseren Körper konzentrieren und innerlich ruhig werden.

Das Ziel des Yoga ist ein entwickelter Mensch mit Vertrauen in seine innere Führung und mit einem stabilen Ich. Nur damit ist der Mensch in der Lage, sich abzugrenzen und gut für sich zu sorgen, ohne die Gemeinschaft und die Sorge um das Wohl anderer zu vernachlässigen. Gesundheit, Glück und Zufriedenheit – oder Schönheit, wie die alten Schriften sagen – sind Begleiterscheinungen auf dem Yoga-Weg, der vor allem in regelmäßiger Praxis besteht. Dazu gehören insbesondere Körperhaltungen, Tiefenentspannung, Atemübungen, Konzentrations- und Meditationsübungen. Dazu kommen – je nach Yoga-Richtung (siehe Buchklappe vorne) unterschiedlich – Mantras (rituelle Töne und Gesänge), Mudras (spezielle Hand- und Körperhaltungen) sowie Übungen für die feinstofflichen Körperzentren (Chakras).

Harmonisches Zusammenspiel verschiedener Teile Der Yoga-Weg leitet an, Gegensätze innerhalb der eigenen Person auszubalancieren.

Die acht Stufen des Yoga

Vor etwa 2000 Jahren beschrieb ein indischer Weiser namens Patanjali den Yoga-Weg in einer Weise, die noch heute eine hilfreiche Anleitung für ein gelingendes Leben ist. Der sogenannte Achtstufige Yoga-Pfad befindet sich in einer Sammlung von Schriften, den Yoga-Sutras, die als geistige Basis der meisten Yoga-Richtungen dienen.

Der Achtstufige Pfad im Überblick

Stufe	Bedeutung	Ziel
1. Yama	Enthaltung, allgemeine Verhaltensregeln in der Gemeinschaft	die eigene Menschlichkeit entwickeln durch Gewaltverzicht, Ehrlichkeit, Wahrhaftigkeit, verantwortlichen Umgang mit Sexualität, Freisein von Gier
2. Niyama	Selbstdisziplin	geistige und körperliche Reinheit, Zufriedenheit, Begeisterung, Selbststudium, Hingabe an ein Ideal
3. Asana	Körperhaltungen	zur Ruhe kommen, Körperbewusstsein und Stabilität verbessern als Basis der geistigen Entwicklung
4. Pranayama	Atemlenkung, Atemkontrolle	Entwicklung von Klarheit, Nervenkraft und Lebensenergie
5. Pratyahara	Zurückziehen der Sinne	zur Ruhe kommen, Kontrolle der Sinne
6. Dharana	Konzentration	lernen, das Bewusstsein auf einen Punkt zu sammeln
7. Dhyana	Meditation	an einem Punkt in die Tiefe gehen, Erkenntnis
8. Samadhi	Einssein	frei werden von Begrenzungen und Behinderungen, geistig erwacht und vollständig »im Jetzt« sein

Asanas – die Körperübungen

Bereits in den alten Yoga-Schriften wird darauf hingewiesen, dass es wichtig ist, den Körper von seinen Verspannungen zu befreien, um auch emotionale und mentale Spannungen aufzulösen und den Geist zu klären. Die Körperübungen dienen auf dem Achtstufigen Weg, den Patanjali beschreibt, als Hinführung zu Konzentration (Dharana), Meditation (Dhyana) und Erfahrung der Einheit (Samadhi).

Das Sanskritwort »Asana« bedeutet »fester stabiler Sitz«. Ursprünglich war nur der Lotossitz gemeint, später wurde der Begriff auf alle Yoga-Körperhaltungen ausgedehnt. Vor allem der Hatha-Yoga hat die Vielzahl von Übungen, die Asanas, hervorgebracht, die wir heute kennen. Hatha bedeutet die

Verbindung von Sonne (Ha) und Mond (tha), die Verbindung unserer männlichen und weiblichen Energie oder auch unserer aktiven und passiven Seite. Die Asana-Praxis führt zu einer intensiveren Wahrnehmung des eigenen Körpers und damit auch der eigenen Persönlichkeit, die ja untrennbar mit ihm verbunden ist. Um diese Wirkung zu erreichen, müssen sich die Asanas von rein gymnastischen Übungen unterscheiden, und zwar

→ durch bewusste **Konzentration auf die Haltung** und
→ die gleichzeitige **Lenkung des Atems.**

Für die Übungspraxis ist es wichtig, dass Sie eine Yoga-Haltung achtsam einnehmen und immer auf die Übung konzentriert bleiben. So kommt es von selbst zu einer Vertiefung des Atems, der ganz natürlich der Aufmerksamkeit folgt.

Vielfältige Wirkungen der Asanas

Die Wirkung der Asanas ist sehr tiefgreifend und zeigt sich sowohl im körperlichen wie auch im emotionalen und mentalen Bereich. Inzwischen beweisen viele wissenschaftliche Untersuchungen vonseiten der Sportphysiologie wie auch der Neurobiologie die äußerst positiven Wirkungen des Yoga. Zu den vielfältigen Heilwirkungen gehören die Verbesserung von körperlichen Symptomen wie Bluthochdruck, Schlaflosigkeit, Rückenschmerzen oder auch Menstruationsbeschwerden.

Auch auf psychischer Ebene lassen sich mit längerer Yoga-Praxis deutliche Verbesserungen erzielen, unter anderem bei depressiven Verstimmungen und Angstzuständen. Positive Veränderungen zeigen sich auch in der mentalen Sphäre durch Steigerung der Konzentrationsfähigkeit und Kreativität. Yoga ist damit ein geeigneter Weg zur Gesunderhaltung auf allen Ebenen. Mithilfe der Asanas können Sie

→ den ganzen Körper ins Gleichgewicht bringen
→ die Muskulatur kräftigen und dehnen
→ die Haltung verbessern
→ das Atemvolumen vergrößern und die Atmung harmonisieren
→ das Nervensystem stabilisieren, ruhiger und belastbarer werden
→ die Selbstheilungskräfte in Schwung bringen
→ körperliche Schwachstellen erkennen und ausgleichen
→ emotionale Balance herstellen
→ die Konzentrationsfähigkeit verbessern
→ Lebenskraft und Lebensfreude intensivieren
→ Schönheit und Ausstrahlung verstärken
→ Ihre Körperwahrnehmung verbessern
→ mehr Energie gewinnen und für Ihr Leben nutzen

Konzentration auf die jeweilige Haltung Diese führt zur intensiven Wahrnehmung des Körpers und damit auch der eigenen Persönlichkeit.

Die Atmung

Bei allen Yogahaltungen wird großer Wert auf die richtige Atmung gelegt. Dabei beobachten Sie zunächst Ihre Atmung nur, noch ohne sie zu beeinflussen. So lernen Sie Ihren Atemrhythmus kennen, der sich aus Ihrer Lebensweise, aus Ihren Bewegungsmustern und Gefühlsprägungen entwickelt hat. Verspannte Schultern, ein verspannter Nacken, ein angespannter Bauch behindern den tiefen Atem beispielsweise genauso wie ständige Angst oder lang anhaltender Stress. Im Lauf der Jahre kann sich so eine flache, ungenügende Atemtätigkeit entwickeln, die Ihnen gar nicht mehr bewusst ist und Ihnen vielleicht gerade deshalb gesundheitliche Beschwerden bereitet (zum Beispiel Spannungskopfschmerz, innere Unruhe oder nervöse Herzbeschwerden).

Durch die vielfältigen Asanas zeigen sich diese Atemmuster zunächst sehr deutlich, und mit regelmäßiger Praxis werden sie nach und nach positiv verändert. Achtsames Üben hilft Ihnen herauszufinden, was Sie durchatmen oder den Atem anhalten lässt, wie Sie emotionale Befindlichkeiten mithilfe der Atemtechnik verändern können und wie Sie Blockaden und Widerstände (zum Beispiel Verspannungen und Schmerzen) mithilfe des Atems lösen können. In jedem Fall werden Sie im Verlauf Ihrer Übungspraxis erleben, wie sich die Atemräume Bauch und Brustkorb erweitern und wie Sie dadurch mehr Luft bekommen – und zwar auf körperlicher, emotionaler und mentaler Ebene.

Pranayama – die Atemübungen des Yoga

Die Yogis bezeichnen die Substanz, die wir einatmen, als »Prana«. Diese Urenergie, aus der sich alle Materie entwickelt hat, wirkt im Menschen als Lebensenergie. Als ihr Speicherort gilt das Sonnengeflecht (der Solarplexus), eine Ansammlung sogenannter sympathischer Nervenfasern etwas oberhalb des Nabels – ein Teil des vegetativen Nervenystems.

Die spezielle Yoga-Atempraxis (Pranayama) umfasst Übungen, die nicht nur den Sauerstoffgehalt des Blutes erhöhen und den Abtransport des Kohlendioxids beim Ausatmen der verbrauchten Luft intensivieren, sondern den Körper verstärkt mit Prana, mit Lebenskraft, versorgen.

Intensivere Lenkung, Vertiefung und Kontrolle des Atems dienen vor allem
→ ganzheitlicher Entspannung durch Harmonisierung des Nervensystems,
→ der Energetisierung des Körpers durch verstärkte Aufnahme von Prana,
→ der Öffnung des Bewusstseins für die Meditation.

Die meisten Pranayama-Übungen setzen eine längere Yoga-Praxis voraus. Allerdings erfahren auch AnfängerInnen die positive Wirkung einer vertieften Atmung bereits durch die Asanas.

Lebensenergie Atem
Spezielle Atemübungen im Yoga bringen Energie, fördern die Entspannung und sind ein erster Schritt in die Meditation.

Atemübungen richtig gemacht

Sie finden im Übungsteil in den einzelnen Programmen Atemübungen, die in ihrer Ausführung genau beschrieben sind. Grundsätzlich gelten für jede der Übungen die folgenden drei Phasen, die in etwa gleich lang sind:

→ das **Einatmen,**
→ das **Halten** des Atems mit voller Lunge,
→ das **Ausatmen.**

Ein- und Ausatmen erfolgen nur durch die Nase; der Mund bleibt geschlossen. Während der Übung bleibt die Gesichts- und Nackenmuskulatur entspannt. Halten Sie möglichst die Augen geschlossen oder nur leicht geöffnet und den Blick nach unten gerichtet. Während der Einatmung und des Atemhaltens weitet sich der ganze Rumpf, während der Ausatmung kommen Sie wieder zurück in die Ausgangsposition. Vermeiden Sie, den Bauch zu stark aufzublähen. Stellen Sie sich vor, dass er sich von alleine mit Atem füllt, wenn Sie die Bauchmuskulatur locker lassen. Das Ausatmen können Sie unterstützen, indem Sie den Bauch leicht einziehen.

Führen Sie die Körper- und Atemübungen nicht mit vollem Magen aus. Beobachten Sie aufmerksam die Atembewegung in Ihrem Körper. Diese gelenkte Aufmerksamkeit verstärkt den Energiefluss. Denn auf diese Weise werden sowohl die Sauerstoffaufnahme als auch der Abtransport von Kohlendioxid und damit die Entgiftung verbessert. Beobachten Sie mehrmals täglich einige Minuten lang Ihren Atem. Folgen Sie mit Ihrem Bewusstsein zunächst dem Einatmen durch die Nase bis in die Lungen, nehmen Sie dann bewusst die Atempause als einen Moment der Bewegungslosigkeit wahr und beobachten Sie schließlich beim Ausatmen, wie die Luft Ihren Körper durch die Nase verlässt. Spüren Sie bewusst den kleinen Moment der Ruhe nach dem Ausatmen.

Atem schöpfen – mehr als Luftholen

Die Atmung ist eng mit den Gefühlen verbunden. Redewendungen wie das »nimmt mir die Luft zum Atmen«, das »lässt mir den Atem stocken« oder hier kann ich »frei durchatmen« zeigen diese Verbindung deutlich. Das bedeutet aber auch, dass belastende Gefühle wie Angst, innerer Druck oder depressive Verstimmung mithilfe von Atemübungen positiv beeinflusst oder gelöst werden können.

Yoga und Ayurveda

Grundlagen der Ayurveda-Medizin

Das Wissen über diese altindische Heilkunst stammt aus den gleichen Schriften, die auch den Yoga-Weg enthalten. Ayurveda beschäftigt sich mit dem ganzen Menschen. Das Ziel ist demnach, Gesundheit auf allen Ebenen zu erhalten oder wiederherzustellen: auf der körperlichen, emotionalen und mentalen Ebene. Da auch der Yoga-Weg dieses Ziel anstrebt, ist eine enge Verknüpfung dieser beiden Weisheitslehren naheliegend.

Der Ayurveda beschreibt die wichtigsten Prinzipien der Natur: Dort wirken elementare Kräfte, sogenannte Doshas, die auch im Menschen als Lebensenergie wirken. Krankheiten entstehen danach aus einem Ungleichgewicht dieser Kräfte, zum Beispiel durch Stress, Überarbeitung, mangelnde oder falsche Bewegung, durch zu schnelles oder falsches Essen oder durch die Ablagerung von Schlacken.

Lebensenergie aus drei Komponenten In jedem Menschen wirken energetische, wärmeerzeugende und zusammenhaltende Kräfte in individueller Ausprägung.

Es gibt drei Doshas mit unterschiedlicher Wirkung im Organismus:
→ **Vata** - energetische Kraft - Bewegung
→ **Pitta** - Wärme erzeugende Kraft - Umwandlung
→ **Kapha** - zusammenhaltende Kraft - Stabilität

Jeder Mensch besitzt eine individuelle Kombination der drei Doshas und damit eine bestimmte Dominanz, die sich in Verhalten, Vorlieben, Abneigungen, Krankheitsneigungen etc. zeigt. Um diesen ausgeglichenen Energiefluss zu gewährleisten, kennt der Ayurveda Heilmittel aller Art. Spezielle Yoga-Übungen tragen wesentlich zum Gleichgewicht der Doshas bei.

Die nachfolgenden Kurzbeschreibungen der drei Doshas helfen Ihnen dabei, sich selbst - wenn auch nur grob - einzuordnen und zu entdecken, ob bei Ihnen Unausgewogenheiten vorhanden sind. Mithilfe der jeweils empfohlenen Körperübungen können Sie die notwendige Balance unterstützen.

Vata-Dosha

Vata ist der Antrieb für die beiden anderen Doshas Pitta und Kapha. Vata ist Lebenskraft und Energie, Kreativität und Wendigkeit. Es fördert die Verdauung (Hauptsitz ist der Dickdarm), begünstigt aber, wenn es im Übermaß vorhanden ist, die Entstehung giftiger Gase sowie Störungen der Verdauung und im Nervensystem.

Vata steuert alles, was für Bewegung von Körper und Geist verantwortlich ist. Die Kraft von Vata regt die Psyche an und bewirkt Aktivität. Vata-dominierte Menschen sind meist schlank, frieren leicht und haben eine eher schlechte Durchblutung. Vata-Störungen, wie sie durch zu viel und zu hektische Bewegung und körperliche und geistige Unruhe ausgelöst werden, können vor allem durch einen geregelten Lebensstil (geregelter Schlaf, geregelte Bewegung) behoben werden. Neben einer Reduzierung der Außenreize sollte auf eine Ernährung geachtet werden, die viel Gedünstetes und Gekochtes enthält und weniger rohe sowie kalte Nahrung.

Bewegung von Körper und Geist Dafür ist Vata als allumfassender Antrieb verantwortlich.

Wenn Sie ein **Vata-Typ** sind, das heißt öfter unter Schlafstörungen, nervöser Unruhe, Verdauungsstörungen etc. leiden,
→ führen Sie die Asanas besonders langsam aus,
→ üben Sie sehr präzise und genau nach den Anleitungen,
→ lassen Sie Ihre Gedanken während der Übung nicht abschweifen,
→ üben Sie nicht zu lange und nicht zu intensiv,
→ räumen Sie Konzentrations- und Meditationsübungen einen wichtigen Stellenwert ein,
→ verweilen Sie zwischen den einzelnen Übungen länger.

Empfehlenswerte Übungen für den **Vata-Typ** sind beispielsweise:
→ Berghaltung – Tadasana (Seite 76)
→ Baum im Wind (Seite 62)
→ Schneidersitz mit gekreuzten Armen – Sukhasana (Seite 31)
→ Krokodil – Nakrasana (Seite 52 oder 90)
→ Vorwärtsbeuge im Sitzen – Paschimottanasana (Seite 88)
→ Wechselatmung – Nadi Sodhana Pranayama (Seite 55)
→ Totenstellung – Savasana (Seite 93)

Atmung und Hautatmung, die auch einen wichtigen Teil der Gesamtatmung darstellt, stehen unter dem Einfluss von Vata-Dosha. Neben den Atemübungen, die auf dieses Dosha harmonisierend wirken, führen Dehnreize über die Haut zu einer verbesserten Atmung. Stellen Sie sich während der Übung vor, wie Sie Atem und Energie durch die Haut aufnehmen.

Erzeugung von Wärme
Pitta ist in der menschlichen Lebensenergie die Kraft der Umwandlung.

Pitta-Dosha

Pitta ist die Kraft der Umwandlung und Verbrennung. Pitta ist in unserem Körper für alle Vorgänge zuständig, bei denen Wärme entsteht. Damit ist Pitta hauptverantwortlich für Verdauung und Stoffwechsel (Hauptsitz: Dünndarm, Magen). Pitta-dominierte Personen haben eine gute Muskulatur, sind flexibel und eher wenig anfällig für Krankheiten. Die Kraft von Pitta stärkt Mut und Willen sowie intellektuelle Fähigkeiten. Pitta-Störungen, die oft durch zu viel Stress ausgelöst sind, zeigen sich unter anderem durch zu viel Hitze im Körper, Übersäuerung, Verdauungsstörungen, Wutausbrüche oder Gereiztheit. Diese Störung kann wie bei Vata-dominierten Menschen durch geregelten Lebensstil ausgeglichen werden.

Menschen mit Pitta-Dominanz haben meist hohe Ansprüche an sich selbst und an andere – und manchmal fehlt ihnen die Geduld. Da sich der Pitta-Typ nicht gerne Vorschriften machen lässt, muss er sich in der Regel selbst motivieren, die Yoga-Übungen regelmäßig auszuführen. Denn gerade durch entsprechende Körperübungen kann die intensive Pitta-Energie reguliert und harmonisiert werden. Dabei ist es wichtig, auf ein gutes Verhältnis von Beweglichkeit, Kraft und Ausdauer zu achten.

Das Loslassen der Kontrolle und die damit verbundene Leichtigkeit zu erreichen, fällt dem Pitta-Menschen vor allem in angespannten Lebensphasen schwer. Hierbei helfen ihm vor allem ausgleichende Atemübungen, die das Luftelement und damit die Lösung von Anhaftungen verstärken. Auch auf der emotionalen Ebene wirken Atemübungen »kühlend« und helfen beim Abbau von negativen Gefühlen wie Wut oder Ärger.

Wenn Sie unter **Pitta-Dominanz** leiden,
→ nehmen Sie sich genügend Zeit, um die Übungen entspannt auszuführen,
→ lösen Sie sich dabei bewusst von Ihren Alltagsproblemen,
→ üben Sie nicht allzu ehrgeizig, sondern arbeiten Sie beharrlich daran, Ihre Körpergrenzen zu erweitern.

Empfehlenswerte Übungen für den **Pitta-Typ** sind beispielsweise:
→ Fisch – Matsyasana (Seite 42)
→ Kamel – Ustrasana (Seite 53)
→ Schulterstand – Sarvangasana (Seite 43)
→ Vorwärtsbeuge – Uttanasana (Seite 39)
→ Panther – Pundarikamasana (Seite 68)
→ Dynamische Dreieckshaltung – Trikonasana (Seite 27)
→ Drehung im Schneidersitz – Sukhasana (Seite 89)
→ Entspannungshaltung in der Bauchlage (Seite 45)

Kapha-Dosha

Kapha ist eine zusammenhaltende, strukturgebende Kraft und vor allem in der Brust, im Hals und Kopf sowie im Magen lokalisiert. Kapha sorgt für Maß- und Haushalten mit den Energien und steht für körperlich-seelische Stabilität und Beständigkeit. Kapha stellt Reserven bereit, die Ausdauer verleihen. Kapha-dominierte Personen neigen eher zu schwerem Körperbau und zu Fettansatz. Störungen äußern sich unter anderem in übermäßiger Schleimbildung, zu hohem Cholesterinspiegel, Gewichtszunahme sowie geistiger und/oder körperlicher Trägheit.

Kapha-Dosha ist dafür zuständig, Vata und Pitta in ausgewogenen Grenzen zu halten. Der Kapha-Typ ist im wahrsten Sinne »der Fels in der Brandung«, wenn die anderen Doshas aus dem Gleichgewicht geraten. Er verfügt über ein großes Maß an innerer Ausgeglichenheit und Ruhe. Diese Fähigkeit kann ihm jedoch auch zum Verhängnis werden, wenn er nicht rechtzeitig merkt, dass seine Stabilität immer mehr in Starre und Blockade und damit in körperliche Stauungen übergeht. Dann wird auch ein Mensch mit Kapha-Dominanz anfällig für Stress und psychische oder körperliche Erkrankungen. Andererseits hält sich der Kapha-Mensch manchmal körperlich zu sehr in der Komfortzone auf und sieht dann weniger die Notwendigkeit, sich ausreichend zu bewegen. Yoga-Übungen sind für den Kapha-Menschen ideal. Mit ihrer Hilfe können sie die für sie so dringend notwendige Leichtigkeit gewinnen, ohne sich überanstrengen oder verausgaben zu müssen.

Wenn **Kapha** überhand nimmt,
→ führen Sie die Übungen schneller aus und wiederholen Sie sie öfter,
→ reihen Sie die Übungen ohne größere Pausen aneinander,
→ verweilen Sie nur kurz in der Entspannungshaltung.

Besonders geeignete Übungen für den **Kapha-Typ** sind beispielsweise:
→ Kamel – Ustrasana (Seite 53)
→ Rückenstreckende Atemübung (Seite 26)
→ Heldenstellung – Virabhadrasana (Seite 38 oder 63)
→ Gestreckte Seitdehnung – Trikonasana (Seite 64)
→ Vorwärtsbeuge mit Grätsche – Paschimottanasana (Seite 88)
→ Entspannung für das Sonnengeflecht – Pavanmuktasana (Seite 54)
→ Kraftvoller Kniestand – Hari Hara Asana (Seite 40)
→ Bär – Rkshasasana (Seite 69)

Beständigkeit auf körperlicher und seelischer Ebene Dafür ist Kapha mit seiner zusammenhaltenden Kraft verantwortlich.

Schritt für Schritt zu Ihrer individuellen Yoga-Praxis

Mit Yoga durch den Alltag

Aufgrund meiner langjährigen therapeutischen Praxiserfahrung habe ich für die Programme Themen ausgewählt, die mir für die heutige Zeit besonders wichtig erscheinen. Die zunehmende Zahl der Yoga-Übenden zeigt die große Wirkung dieses uralten Weisheitsweges, gerade wenn es um Entspannung, Stressabbau oder um die Verbesserung psychischer Beschwerden geht. Daher finden Sie im Buch diese Übungsfolgen:

→ Yoga für ein vitales Herz-Kreislauf-System
→ Yoga für ein wachsames Immunsystem
→ Yoga für starke Nerven und einen klaren Kopf
→ Yoga für Lebensfreude und eine ausgeglichene Psyche
→ Yoga für einen starken Rücken und bewegliche Gelenke
→ Mit Yoga Stress und Erschöpfung positiv begegnen
→ Yoga für unterwegs

Eine Besonderheit stellt das Programm »Yoga für unterwegs« dar. Hier finden Sie keine Reihe aufeinanderfolgende Übungen, sondern einzelne Übungen, die vielseitig im Alltag eingesetzt werden können. Nehmen Sie sich auch für dieses Programm Zeit zum Üben, um in schwierigen Situationen gerüstet zu sein. Ein indisches Sprichwort sagt: »Es ist zu spät, einen Brunnen zu bohren, wenn Du Durst hast.«

Natürlich kann auch für andere Bereiche, beispielsweise bei Stoffwechselproblemen, Verdauungsstörungen, Gewichtsproblemen oder gegen hormonelle Störungen viel Positives mit Yoga erreicht werden. Da die Übungen neben ihrem jeweiligen Schwerpunkt immer auf den ganzen Körper wirken, können die vorgeschlagenen Programme auch für diese Themenbereiche eingesetzt werden.

Bitte beachten Sie: Die Übungen ersetzen keine Therapie und keine notwendigen Arzt- oder Therapeutenbesuche.

Kleinere Beschwerden wie gelegentliche Rücken- oder Kopfschmerzen können Sie durch regelmäßige Yoga-Praxis lindern und oft dauerhaft auflösen. In Fällen körperlicher Probleme empfiehlt sich allerdings der begleitende Besuch eines Kurses bei einem/einer ausgebildeten Yoga-Lehrer/in.

Yoga als Alltagsübung
Hier finden Sie Übungsprogramme für verschiedene Bedürfnisse.

Aufbau der Übungsseiten

Jedes Programm beginnt mit einer kurzen Einführung über die wichtigsten anatomischen Details. Zusätzlich finden Sie einen Hinweis darauf, was Sie von der Übungsfolge erwarten können. Daher wurde darauf verzichtet, die Wirkungsweise bei jeder einzelnen Übung zu beschreiben.

Unter dem Übungsnamen finden Sie jeweils Informationen zu diesen Themen:

- → **WIRKUNG** was die Übung im Körper, in Seele und Geist bewirkt
- → **WICHTIG** auf welchen Körperbereich die Konzentration gerichtet ist, für welche weiteren Übungen ist diese Übung wichtig ist
- → **VORSICHT** bei welchen Beschwerden die Übung vorsichtig, mit Hilfen oder gar nicht ausgeführt werden sollte
- → **HILFEN** Unterstützung bzw. Erleichterung der Übung
- → **CD-TRACK** Nummer der Übung auf der CD

Das passende Programm finden

Sie können entweder alle Programme nacheinander üben oder einzelne Übungen aus den Abfolgen wählen (zum Beispiel nach der ayurvedischen Typenlehre, s. Seite 15–17). Bleiben Sie etwa vier Wochen bei einer gewählten Übungsfolge, um sie in ihrer tiefergehenden Wirkung erfahren zu können. Wenn Sie lieber ein spezielles Programm über einen längeren Zeitraum üben möchten, können Sie wie folgt vorgehen:

- → Wählen Sie das Programm nach möglichen kleineren Beschwerden als Selbsthilfe und üben Sie so lange, bis die Beschwerden gelindert sind.
- → Wählen Sie ein Programm intuitiv aus, wenn Sie sich zwischen mehreren Themen nicht entscheiden können.

Übungsbegleitung in Bild und Ton

Auf dem beigefügten Poster finden Sie alle Übungen der sieben Programme.

Auf der beiliegenden CD können Sie folgende Anleitungen hören:

- → Yoga für ein vitales Herz-Kreislauf-System
- → Yoga für ein wachsames Immunsystem
- → Yoga für starke Nerven und einen klaren Kopf
- → Yoga für einen starken Rücken und bewegliche Gelenke

Die Übungen – richtig gemacht

Lernen und üben Sie mithilfe der Bilder

Lesen Sie zunächst das Kapitel »Asanas – die Körperübungen« (Seite 10 f.). Betrachten Sie dann die Bilder des gewählten Programms in der Zusammenfassung auf der jeweils letzten Doppelseite des Programms. So bekommen Sie bereits einen Eindruck von den Übungen und können sich die Abfolge besser einprägen. Während der Übungsfolge können Sie immer wieder einen Blick auf das Poster werfen.

Prägen Sie sich den Ablauf ein

Beginnen Sie Ihr Programm damit, die Beschreibung zu jeder Yoga-Übung jeweils genau durchzulesen, und stellen Sie sich den Übungsablauf vor Ihrem inneren Auge kurz vor, bevor Sie die Haltungen einnehmen. Betrachten Sie außerdem die Pfeile, mit denen die meisten Haltungen versehen sind. Sie zeigen

→ die Stelle, an der besonders auf die Wirkung der Kraft geachtet werden soll (Pfeil von unten oder oben),

→ die Dehnrichtung (Pfeil weg vom Körper) bzw.

→ bei Entspannungsübungen die Richtung, in die die Spannung losgelassen werden soll.

Jede Übung besteht aus drei Phasen:

→ dem **Einnehmen** der Haltung,

→ dem **Verweilen** in der Haltung,

→ dem **Herausgehen** aus der Haltung.

Matte, Decke, Kissen
Mit diesen wenigen Hilfsmitteln können Sie Ihre Yoga-Übungen sogar unterwegs praktizieren.

Vom Start zum Ziel und zurück

Widmen Sie jeder Phase möglichst die gleiche Aufmerksamkeit. Achten Sie besonders darauf, dass Sie die Übung in der Reihenfolge rückwärts auflösen, in der Sie in die Übung hineingegangen sind. Wenn Sie also zuerst das Bein gebeugt und dann die Arme gestreckt haben, lassen Sie die Arme sinken, bevor Sie die Beine wieder durchstrecken.

Üben Sie, wie es gut für Sie ist

In der Regel ist beschrieben, mit welcher Körperseite die Übung beginnt. Üben Sie wenn möglich zweimal zu jeder Seite und spüren Sie nach jeder Übung kurz nach. Lassen Sie anfangs den Atem frei fließen und verbinden Sie die Haltungen dann mit der angegebenen Atemführung, wenn Sie sich sicher fühlen. Finden Sie Ihre persönliche Grenze heraus, sowohl was die Dehnung betrifft als auch den Zeitraum, über den Sie die Übung halten.

Üben Sie geduldig, bis sich Ihre Grenze wie von selbst etwas verschiebt – mit dieser Erweiterung wächst Ihr Körperbewusstsein. Sie werden sich mehr und mehr in Ihrem Körper zu Hause und wohl fühlen. Damit wächst auch gleichzeitig ein natürliches Selbstbewusstsein.

Viele Übungen sind in Form einer Bildfolge dargestellt, die das Vorgehen in Schritten zeigt. Sie können anfangs ohne weiteres bei einem der ersten Schritte bleiben und diese Variante über längere Zeit üben, so lange, bis Ihnen der Übergang in die Endhaltung leichtfällt. Ausgangsstellung für alle Standhaltungen ist **Tadasana, die Berghaltung.** Machen Sie sich zunächst mir dieser Übung vertraut, die Sie auf **Seite 76** finden.

Wie oft, wie regelmäßig und wie intensiv üben?

Nehmen Sie sich idealerweise täglich ein- bis zweimal Zeit für Ihre Yoga-Praxis. Der frühe Morgen und der frühe Abend sind die besten Zeiten. Versuchen Sie, möglichst selten eine Ausnahme zu machen; zwingen Sie sich aber auch nicht zum Üben, damit Sie nicht die Lust an dieser wunderbaren Praxis verlieren. Üben Sie auch, wenn Sie nur kurz Zeit haben; wählen Sie dann einfach nur eine einzige Übung aus. So kann es beispielsweise bereits hilfreich sein, wenn Sie abends eine Entspannungsübung machen, um die Gedanken des Tages loslassen zu können.

Üben Sie intensiv, wenn es Ihnen gut geht, und etwas sanfter, wenn Sie angestrengt sind oder beispielsweise unter Schmerzen leiden, während der Menstruation oder bei einem körperlichen Problem.

Das brauchen Sie für Ihre Yoga-Praxis

→ eine rutschfeste Matte

→ eine weiche Matte oder Decke

→ ein Sitzkissen und/oder Bänkchen

→ bequeme Yoga-Kleidung

→ ein flaches Kissen, das Sie unter den Kopf oder den Bauch legen können (zum Beispiel bei der Kobra Bhujangasana, Seite 80)

→ einen Gurt oder ein Tuch zur Erleichterung mancher Übungen

Eine Bezugsquelle für diese Hilfsmittel finden Sie auf Seite 111.

Sieben Programme für Ihre Gesundheit

Yoga für ein vitales Herz-Kreislauf-System

Ein ausgeklügeltes Versorgungssystem des Körpers

Das Herz-Kreislauf-System besteht aus dem Herzen als Zentrum und einem Netz von Blutgefäßen. Durch die Blutgefäße wird jede Körperzelle mit dem versorgt, was sie benötigt: mit Sauerstoff, Hormonen, mit den Bausteinen der Nahrung und Substanzen, die der Körperabwehr dienen. Auf dem gleichen Weg werden auch die Abbauprodukte des Stoffwechsels und Kohlendioxid abtransportiert.

Blut und Blutbahnen

Etwa fünf bis sechs Liter Blut kreisen bei einem Erwachsenen in diesem inneren Leitungsnetz. Es besteht aus dem flüssigen, durchscheinenden Plasma und festen Bestandteilen, den Blutkörperchen. Die tellerförmigen roten Blutkörperchen (Erythrozyten) sind mit dem Blutfarbstoff Hämoglobin bepackt, der das Blut rot färbt. An das Hämoglobin kann sich Sauerstoff und ebenso auch Kohlendioxid anlagern. So kann der lebenswichtige Sauerstoff in jeden Winkel des Körpers befördert und das giftige Kohlendioxid von dort abtransportiert werden.

Weitere Bestandteile sind die Blutplättchen (Thrombozyten), die zur Blutgerinnung beitragen, sowie die weißen Blutkörperchen (Leukozyten), die der Abwehr dienen (siehe auch Immunsystem S. 36 f.).

Lotus Mudra für Ihr Herz-Kreislauf-System
Die Hände auf Höhe des Herzens halten, die Handwurzeln aneinanderlegen, die Daumen und kleinen Finger beider Hände aneinanderlegen und die anderen Finger wie einen Blütenkelch öffnen.

Zentrum der großen Gefühle

Das Herz spielt nicht nur für den Körper, sondern auch für die Psyche eine wesentliche Rolle. Gefühle, allen voran die Liebe, werden mit dem Herzen verbunden. Herzschmerz und das gebrochene Herz sind immerwährender Inhalt von Büchern, Filmen, Opern, Märchen. Nicht von ungefähr, denn diese starken Gefühle gehören mit zu unserem Leben wie die Liebe. Das Herz zu pflegen und ihm eine vermittelnde und ausgleichende Funktion zwischen Bauch und Kopf einzuräumen, ist ein gutes Rezept für ein glückliches Leben.

Die Arterien, in denen dasjenige Blut fließt, das mit hohem Druck aus dem Herzen herausgepumpt wird, sind von einer kräftigen Muskelschicht umgeben. Die Venen, die das Blut zum Herzen zurücktransportieren, haben selbst keine Muskulatur, besitzen aber innen Rückstauklappen und sind auf die Unterstützung der sie umgebenden Muskeln angewiesen. Zudem trägt der Sog, den der Rhythmus des Aus- und Einatmens im Brustraum entstehen lässt, zum Rückfluss des Blutes bei. Der Blutkreislauf ist davon abhängig, dass der Fluss nicht zu träge ist und nicht stagniert, Abfluss-Hindernisse wie Blutpfropfen (Thromben) können lebensgefährlich werden.

Yoga wirkt sanft, aber vielfältig auf Herz und Kreislauf

Regelmäßige Yogapraxis kann wesentlich dazu beitragen, das Herz-Kreislauf-System gesund und vital zu erhalten – auch wenn Sie die Kreislaufanregung nicht so deutlich spüren wie zum Beispiel beim Sport. So verlangsamen vorwärtsbeugende Übungen den Blutfluss im Bauchraum, um dann mit der Auflösung der Haltung zu einer verstärkten Durchblutung dieser Region zu führen. Umkehrhaltungen, bei denen der Kopf tiefer liegt als das Becken und/oder die Beine, sorgen dafür, dass die oberen Körperbereiche verstärkt durchblutet und der Rückfluss durch die Venen intensiviert wird. Die Vertiefung und Lenkung des Atems während der Asanas und die Konzentration auf die jeweiligen Körperbereiche verbessern die Durchblutung von Muskulatur und Organen, ohne selbst wieder einen großen Teil des aufgenommenen Sauerstoffs zu verbrauchen, wie das bei einer sportlichen Aktivität der Fall ist, die großen Kraftaufwand erfordert.

Umkehrhaltungen fördern den Blutrückfluss Das trägt sanft zur Anregung des Kreislaufs bei.

Was Sie von diesen Übungen erwarten können

→ bessere Durchblutung des ganzen Körpers und damit auch des Herzmuskels

→ Anregung der Sauerstoffversorgung des gesamten Organismus

→ Stabilisierung von Kreislauf und Blutdruck (Entspannungsübungen können zum Beispiel Bluthochdruck positiv beeinflussen)

→ Entlastung des venösen Kreislaufs (Entstauung der Venen)

→ Entspannung des Herzens (durch Entkrampfung der Muskulatur und Harmonisierung des Nervensystems)

Rückenstreckende Atemübung

WICHTIG	→ Konzentration auf Muskelanspannung beim Aufrichten und Muskelentspannung, während Sie den Oberkörper sinken lassen
VORSICHT	→ bei akuten Rückenschmerzen unbedingt die Knie beim Aufrichten gebeugt halten
CD	→ Track 2

1 Stehen Sie aufrecht einige Atemzüge lang in der Berghaltung (s. Seite 76). Lenken Sie die Aufmerksamkeit auf Ihr Herz. Mit jedem Atemzug weitet sich der Brustkorb mehr und mehr, das Herz schlägt ruhig und gleichmäßig.

2 Lassen Sie den Rumpf ausatmend nach unten sinken, Arme, Schultern und Kopf sind entspannt. **A**

3 Beugen Sie einatmend die Knie und strecken Sie Oberkörper und Arme parallel zum Boden nach vorne, der Rücken ist dabei gerade. **B**

4 Kommen Sie in einer zügigen Bewegung nach oben und strecken Sie die Arme zur Decke. Die Beine sind ebenfalls wieder gestreckt. Mit dem gleichen Einatemzug breiten Sie die Arme auf Schulterhöhe

zur Seite aus, die Handflächen zeigen nach vorne. Ziehen Sie die Schultern noch etwas nach unten und halten Sie eine kurze Atempause.

5 Führen Sie die gestreckten Arme ausatmend in vier aufeinander folgenden Stufen nach hinten: aus-aus-aus-aus. Drücken Sie dabei die Schulterblätter kräftig zusammen. **C**

6 Einatmend erhöhen Sie die Spannung, indem Sie die Arme weit nach außen dehnen, ausatmend beginnen Sie wieder von vorn und lassen den Rumpf mit entspanntem Rücken nach unten sinken.

7 Wiederholen Sie diese Übung fünf- bis siebenmal und spüren Sie in der Berghaltung nach.

Dynamische Dreieckshaltung **Trikonasana**

WICHTIG	→ Konzentration auf festen Stand
VORSICHT	→ bei Rückenbeschwerden alle Übungen mit gebeugten Knien durchführen
HILFEN	→ den Nacken gerade halten, sodass der Blick nach vorne statt nach oben geht
CD	→ Track 3

1 Stehen Sie aufrecht in der Berghaltung (s. Seite 76) und gehen Sie in eine weite Grätsche, die Beine gestreckt, die Knie nicht durchgedrückt. Breiten Sie einatmend die Arme in Schulterhöhe aus, drücken Sie die Schulterblätter zusammen, die Handflächen zeigen nach vorne.

2 Beugen Sie ausatmend den Rumpf – Rücken und Nacken bleiben dabei gestreckt – und legen Sie die rechte Hand an die Innenseite des rechten Unterschenkels oder Fußknöchels. Dehnen Sie die linke Schulter mit dem gestreckten Arm nach hinten, drehen Sie den Kopf und richten Sie den Blick zur linken Hand nach oben. **A**

3 Richten Sie sich einatmend wieder auf, spannen Sie dazu Beckenboden- und

Beinmuskulatur an. Wiederholen Sie die Übung nun zur anderen Seite und richten Sie sich einatmend wieder auf.

4 Beugen Sie sich ausatmend mit geradem Rücken und gestreckten Armen nach vorn, bis Ihr Rücken waagerecht zum Boden ist **B**. Beugen Sie sich dann weiter ausatmend mit geradem Rücken und Nacken so weit nach unten, dass die Fingerspitzen oder Hände den Boden berühren. **C**

5 Breiten Sie einatmend die Arme wieder zur Seite aus und richten Sie sich mit kraftvollem Druck aus den Füßen und Beinen wieder auf.

6 Lassen Sie ausatmend die Arme sinken und spüren Sie nach, bevor Sie den Zyklus wiederholen.

Aktive Beindehnung

1 Nehmen Sie sich einen Gurt oder ein Tuch und legen Sie sich auf den Rücken, die Arme sind neben dem Körper, die Beine gestreckt, die Zehen herangezogen.

2 Ziehen Sie die Schultern sanft nach unten und drücken Sie die Schulterblätter zum Boden. Bewegen Sie den Kopf einige Male zu jeder Seite, bevor Sie wieder gerade nach oben blicken.

3 Winkeln Sie das rechte Bein an, legen Sie den Gurt um den Vorderfuß und strecken Sie das Bein mit in Richtung Knie herangezogenen Zehen nach oben.

4 Während Kopf und Schultern entspannt Kontakt mit dem Boden behalten, ziehen Sie das gestreckte Bein mit jedem Ausatmen etwas näher an den Körper heran. Drücken Sie dabei die Lendenwirbelsäule fest zum Boden. **A**

5 Halten Sie die Spannung mehrere Atemzüge lang, bevor Sie das Bein anwinkeln und wieder ablegen. Spüren Sie nach, bevor Sie mit der anderen Seite üben.

Yoga-Atmung

WICHTIG	→ Konzentration auf die Atembewegung in den einzelnen Rumpfregionen
VORSICHT	→ sanft atmen, die Lunge und den Bauch nicht aufblasen
CD	→ Track 5

1 Nehmen Sie eine aufrechte Sitzhaltung ein, der Rücken ist aufgerichtet, die Schultern locker.

2 Legen Sie die Hände auf den Bauch. Atmen Sie tief aus, während sich der Bauch senkt **A**. Nach einer kurzen Atempause lassen Sie den Atem wieder in den Bauchraum fließen, der Brustkorb bleibt dabei weitgehend unbewegt (zehn- bis zwanzigmal wiederholen).

3 Legen Sie dann die Hände seitlich an die Rippen **B**. Atmen Sie langsam wieder aus und halten Sie eine kurze Pause. Beim Einatmen dehnt sich nur der Brustraum, der Bauch bleibt jetzt unbewegt. Zehn- bis zwanzigmal wiederholen.

4 Legen Sie die Fingerspitzen auf die Schlüsselbeine und nehmen Sie die Bewegung im Bereich der oberen Lungenspitzen wahr **C** (ebenfalls zehn bis zwanzigmal wiederholen). Bauch und Becken bleiben dabei weitgehend unbewegt.

5 Verbinden Sie die drei Atemräume miteinander, indem Sie beim Einatmen erst den Bauch weiten, dann die Rippen und den mittleren Brustbereich und schließlich die Schlüsselbeinregion heben. Halten Sie eine kurze Pause und lassen Sie dann den Bauch einsinken, bevor sich Brust und Schlüsselbeinregion senken. Wiederholen Sie auch diese Atemübung mehrmals.

A

B

C

Reinigende Atmung im Liegen

WICHTIG → Konzentration auf die im Wechsel gestreckte und gebeugte Wirbelsäule
VORSICHT → bei hohem Blutdruck oder Schwindelgefühl langsamer und weniger kraftvoll üben
HILFEN → zunächst im Sitzen üben
CD → Track 6

1 Nehmen Sie eine entspannte Rückenlage ein, die Arme liegen neben dem Körper.

2 Strecken Sie einatmend die Arme über den Kopf nach hinten und dehnen Sie dabei den Körper ganz lang. Atmen Sie mit einem kräftigen »Ha« aus und ziehen Sie dabei das rechte angewinkelte Bein so nahe wie möglich zum Körper heran, umfassen Sie es mit beiden Händen und bringen Sie die Stirn in Richtung Knie. **A**

3 Strecken Sie einatmend wieder Arme und Beine und ziehen Sie ausatmend das linke Knie heran.

4 Wiederholen Sie die Übung, solange es Ihnen angenehm ist, und spüren Sie in der Rückenlage nach.

A

1

Schneidersitz mit gekreuzten Armen **Sukhasana**

WICHTIG → Konzentration auf die öffnende und schließende Bewegung in der Brustwirbelsäule
HILFEN → ein Kissen unter die Sitzhöcker oder zusammengerollte Decken unter die
Knie legen
CD → Track 7

1 Setzen Sie sich auf den Boden und kreu-
zen Sie das angewinkelte rechte Bein
über das linke, sodass die Unterschenkel
auf den Füßen ruhen. Richten Sie den
Rücken auf und stützen Sie die Arme so
hinter dem Rücken ab, dass die Fingerspitzen zum Körper zeigen. Lassen Sie
das Gewicht zu den Sitzhöckern sinken
und wölben Sie den Brustkorb etwas
nach vorn, während Sie tief einatmen. **A**

2 Überkreuzen Sie ausatmend die Arme,
legen Sie die rechte Hand auf das linke

und die linke Hand auf das rechte Knie,
lassen Sie den Rücken rund werden und
kommen Sie mit der Stirn nach vorn in
Richtung Boden. **B**

3 Richten Sie sich einatmend wieder auf
und dehnen Sie sich nach hinten. Legen
Sie nun das linke Bein auf das rechte und
wiederholen Sie die Übung einige Male
im Wechsel.

4 Spüren Sie in der entspannten Rückenlage (Seite 57) nach.

Halbmond im Knien **Ardha Chandrasana**

WICHTIG → Konzentration auf die Dehnung der Wirbelsäule
VORSICHT → bei Bandscheibenbeschwerden nicht nach rückwärts dehnen
HILFEN → eine weiche Decke oder kleine Kissen unter die Knie legen
CD → Track 8

1 Ausgangsstellung ist der Kniestand, der Rücken ist gerade aufgerichtet, der Nacken lang, der Kopf thront auf der Wirbelsäule.

2 Stellen Sie das rechte Bein in einer Art Ausfallschritt nach vorne, der Fuß steht vor dem Knie **A**. Senken Sie dann das Becken ab, bis der Unterschenkel senkrecht steht, das Knie befindet sich dabei genau über dem Mittelpunkt des Fußes und ist somit entlastet. Das hintere Bein ist gestreckt, Fußrücken und Knie liegen auf dem Boden.

3 Legen Sie die Handflächen vor der Brust zusammen (Zeigefinger strecken und die anderen Finger verschränken) und stre-

cken Sie einatmend die Arme über den Kopf, bis die Oberarme beiderseits der Ohren liegen.

4 Spannen Sie die Beckenbodenmuskulatur an und dehnen Sie den Körper in einem leichten Bogen nach hinten. **B**

5 Atmen Sie mehrere Atemzüge in dieser Stellung, lösen Sie dann die Haltung auf und gehen Sie zurück in den Kniestand. Spüren Sie nach, bevor Sie zur anderen Seite wechseln.

6 Setzen Sie sich zur Entspannung auf die Fersen, beugen Sie den Oberkörper nach vorne und legen Sie die Stirn auf den Boden oder auf Ihre Fäuste. **C**

Dynamische Entspannung

WIRKUNG	→ besonders bei niedrigem Blutdruck und Kreislaufschwäche zu empfehlen
WICHTIG	→ Konzentration auf den Übergang von der Spannung zum Loslassen
CD	→ Track 9

1 Ausgangsstellung ist die Rückenlage, die Arme liegen neben dem Körper, die Beine sind hüftbreit auseinander. **A**

2 Spannen Sie die einzelnen Körperteile in der in Schritt 3 aufgezählten Reihenfolge langsam ansteigend bis zum Maximum an und lassen Sie dann die Spannung nach einer kurzen Pause mit einem Impuls los. Stellen Sie sich dabei vor, wie Ihr Herz das Blut rhythmisch durch Ihren gesamten Körper pumpt und alle Zellen mit Energie versorgt.

3 Machen Sie jede An- und Entspannung zweimal, jeweils mit der mentalen Anweisung »Spannen, Halten, Entspannen«:
 → rechter Fuß (beim Spannen ziehen Sie die Zehen zum Körper heran)
 → rechtes Knie (beim Spannen drücken Sie das Knie zum Boden)
 → rechtes Bein von der Hüfte bis zum Fuß
 → linker Fuß (beim Spannen ziehen Sie die Zehen zum Körper heran)
 → linkes Knie (beim Spannen drücken Sie das Knie zum Boden)
 → linkes Bein von der Hüfte bis zum Fuß
 → Lendenwirbelsäule und unterer Rücken (beim Spannen zum Boden drücken)
 → rechtes Schulterblatt (beim Spannen zum Boden drücken)
 → rechter Arm und rechte Hand (beim Spannen die Faust ballen)
 → linkes Schulterblatt (beim Spannen zum Boden drücken)
 → linker Arm und linke Hand (beim Spannen die Faust ballen)
 → Nacken (beim Spannen zum Boden drücken)
 → Gesicht (beim Spannen alle Muskeln zur Mitte zusammenziehen)
 → den ganzen Körper (beim Spannen zum Boden drücken)

A

Die Übungen auf einen Blick: Yoga für ein vitales Herz-Kreislauf-System

Rückenstreckende
Atemübung

Dynamische Dreieckshaltung
Trikonasana

Aktive Beindehnung

Yoga-Atmung

Reinigende Atmung
im Liegen

Schneidersitz mit gekreuzten Armen
Sukhasana

Halbmond im Knien
Ardha Chandrasana

Dynamische Entspannung

Yoga für ein wachsames Immunsystem

Gesundheitswächter an allen Orten des Körpers

Das Immunsystem, das darüber entscheidet, ob wir krank werden oder gesund bleiben, ist eines der am stärksten vernetzten Organsysteme des Menschen. Es ist dafür zuständig, Viren, Bakterien, Pilze, Parasiten und entartete eigene Körperzellen unschädlich zu machen.

Zum Immunsystem gehören:

→ mechanische und physiologische **Barrieren,** die ein Eindringen von schädlichen Stoffen verhindern sollen (Haut, Schleimhäute in Atemwegen, Darm und Harnwegsystem, Tränen)

→ das **Lymphatische System** mit den weißen Blutkörperchen (Leukozyten)

→ **Eiweiße,** die als Botenstoffe oder in Form von Antikörpern zur Abwehr von Krankheitserregern dienen

Unsere Abwehr, ein verzahntes System

In genau abgestimmter Zusammenarbeit müssen Gehirn und Drüsen, Haut, Knochenmark und viele Hormone und andere Botenstoffe mit einer riesigen Armee von weißen Blutkörperchen (Leukozyten) kooperieren.

Haut und Schleimhaut, die zur ersten Immunbarriere gehören, sorgen dafür, dass Erreger nicht eindringen oder schnell wieder nach außen befördert werden. Ist dies nicht möglich, werden verschiedene Zelltypen des Immun-

Tse Mudra für Ihr Immunsystem In Sitzhaltung die Hände mit den Innenflächen nach oben auf die Oberschenkel legen. Die Daumen in die Handflächen beugen und zu den Kleinfinger-Ballen führen, mit den anderen Fingern die Daumen umschließen.

Immunität für die Psyche

»Gegen etwas immun sein« bedeutet auf psychischer Ebene, etwas nicht zu nahe an sich herankommen zu lassen, sich von etwas nicht belasten oder vergiften zu lassen. Die Medizinwissenschaft Psychoneuroimmunologie hat längst bewiesen, dass das Immunsystem lebenslang eng mit der Psyche verbunden ist. Immuntherapie bedeutet deshalb auch, im emotionalen Bereich eine starke Abwehr zu haben, sich gut abgrenzen und schützen zu können und zugleich die Bedeutung diese Zusammenarbeit zu erkennen und diese zu pflegen.

2

systems aktiv, die in den Blutgefäßen und Lymphbahnen zirkulieren. Diese Abwehrzellen können sowohl eingedrungene Erreger und körpereigene entartete Zellen unschädlich machen als auch die Produktion von Immunmodulatoren anregen, also von Stoffen, die das Immunsystem beeinflussen.
Das Immunsystem entwickelt sich in den ersten Lebensmonaten. Lebenslang besteht eine enge Beziehung zwischen Immunsystem und Drüsen, vor allem jedoch zwischen Immunsystem und Psyche. Belastungen auf dieser Ebene, etwa durch Stress oder Kummer, führen über längeren Zeitraum zu einer deutlichen Immunschwächung und damit zu Krankheiten wie zum Beispiel Allergien. Mit fortschreitendem Alter nimmt die Aktivität des Immunsystems ab, das heißt der Körper muss zunehmend unterstützt werden bei seinen Abwehraufgaben.

Körper und Geist in Ordnung bringen
Auf diese Weise können Yoga-Übungen das Immunsystem stärken.

Yoga harmonisiert und stärkt das Immunsystem

Yoga ist ein besonders geeigneter Weg, sein Immunsystem zu pflegen, da die Übungen sowohl auf körperlicher als auch emotionaler Ebene harmonisierend wirken. So profitieren das vegetative Steuerzentrum Hypothalamus, die Hypophyse und die Schilddrüse von der verstärkten Kopfdurchblutung, wie sie bei den Umkehrübungen (Kopf tiefer als das Becken) erfolgt.
Die verbesserte Durchblutung und Entstauung des gesamten Körpers führt zu einer besseren Blutversorgung der Zellen und Entlastung der Lymphe. Yoga-Übungen haben außerdem eine ordnende Wirkung auf das Nervensystem, auf unsere Gedanken und Gefühle und damit in besonderem Maße auf das Immunsystem, das etwa durch Umweltgifte, Lärm, falsche Ernährung, Informationsflut, enges Miteinanderleben oder Zukunftsängste ohnehin sehr belastet ist.

Was Sie von diesen Übungen erwarten können

→ verbesserte Durchblutung und intensivere Sauerstoffversorgung des Körpers
→ Abbau von Stresshormonen durch Entspannung auf körperlicher, emotionaler und mentaler Ebene
→ intensivere Körperwahrnehmung, frühes Erkennen möglicher Krankheiten
→ Stärkung von Selbstvertrauen und Selbstwertgefühl, bessere Abgrenzung
→ allgemeine Harmonisierung des Immunsystems

Heldenstellung **Virabhadrasana**

WICHTIG → Konzentration auf den Schwerpunkt in der Mitte des Körpers
CD → Track 10

1 Ausgangsstellung ist die Berghaltung (s. Seite 76), aus der Sie mit geradem Rücken in eine weite Grätsche gehen; finden Sie dabei für die Weite das für Sie richtige Maß.

2 Drehen Sie den linken Fuß 90 Grad nach außen, den rechten Fuß leicht nach innen. Dabei befindet sich die linke Ferse auf einer Linie mit der Mitte des rechten Fußes. Das Becken und der Rumpf sind aufgerichtet, die Beckenbodenmuskulatur ist leicht angespannt. **A**

3 Heben Sie einatmend die gestreckten Arme auf Schulterhöhe und wenden Sie den Blick zum linken Mittelfinger.

4 Winkeln Sie ausatmend das linke Knie an, bis es sich über dem linken Fuß befindet, Fußgelenk und Knie bilden eine Linie. Lassen Sie Ihren Schwerpunkt im Becken nach unten sinken, richten Sie den Rücken gerade auf und drücken Sie die Außenkante des rechten Fußes fest zum Boden. **B**

5 Verbinden Sie diese Haltung mit einer Affirmation, die Sie dreimal wiederholen: »Mein Immunsystem ist wachsam und gibt mir Schutz auf allen Ebenen.«

6 Strecken Sie nach einigen Atemzügen das angewinkelte Bein, lassen Sie die Arme sinken und bringen Sie die Beine in die Ausgangsposition zurück. Spüren Sie noch kurz nach, bevor Sie die Seite wechseln.

7 Zur Entspannung den Oberkörper mit gebeugten Knien locker nach unten aushängen lassen.

Vorwärtsbeuge **Uttanasana**

WICHTIG	→ Konzentration auf Steißbein und Kreuzbein, die nach oben gedehnt werden
VORSICHT	→ bei Rückenschmerzen oder Bandscheibenbeschwerden die Knie anwinkeln
HILFEN	→ sich mit geradem Rücken und gestreckten Armen auf einem Stuhl abstützen
CD	→ Track 11

2

1 Ausgangsstellung ist die Berghaltung (s. Seite 76), die Füße stehen parallel, etwa faustbreit auseinander, die Arme sind neben dem Körper. Richten Sie den Rücken auf und ziehen Sie das Steißbein Richtung Boden. Lassen Sie das Gewicht nach unten in die Füße sinken.

2 Bringen Sie ausatmend den Oberkörper mit gestrecktem Rücken in die Waagerechte, die Hände liegen an der Rückseite der Oberschenkel. Entspannen Sie Nacken- und Rückenmuskeln, dehnen Sie den Kopf nach vorne, sodass der ganze Rücken sanft gedehnt wird. **A**

3 Lösen Sie die Hände und senken Sie mit gestrecktem Rücken und Armen den Oberkörper so weit wie möglich nach unten, der Kopf bleibt in Verlängerung der Wirbelsäule. **B**

4 Umfassen Sie die Unterschenkel oder die großen Zehen und bringen Sie die Stirn mit lang gedehntem Nacken so nahe wie möglich zu den Beinen heran. Der Rücken bleibt dabei gerade. **C**

5 Zur Auflösung der Übung winkeln Sie die Beine an und kommen mit möglichst geradem Rücken und Armen wieder in die Ausgangsstellung.

6 Spüren Sie kurz nach, bevor Sie sich zur Entspannung mit angezogenen Knien auf den Rücken legen.

Kraftvoller Kniestand **Hari Hara Asana**

WICHTIG	→ Konzentration auf Öffnung im Brust- und Beckenbereich
VORSICHT	→ bei Kniebeschwerden ein Kissen unter das Knie legen
HILFEN	→ den Fuß mit einem Gurt zum Körper heranziehen

1 Ausgangsstellung ist der Kniestand. Stellen Sie den rechten Fuß eine Schrittlänge nach vorne, sodass der Unterschenkel senkrecht steht. Stützen Sie sich mit der rechten Hand auf dem rechten Knie ab.

2 Winkeln Sie mit dem Ausatmen das linke Bein an und umfassen Sie mit der linken Hand den linken Fußknöchel. Öffnen Sie den Brustkorb und drehen Sie die linke Schulter nach hinten zum linken Fuß. **A**

3 Heben Sie mit dem Einatmen den rechten Arm gestreckt nach oben, die Handfläche ist dabei zum Kopf gerichtet. Entspannen Sie bewusst die Becken-

bodenmuskulatur und lenken Sie den Atem in den geöffneten und gedehnten Beckenbereich. **B**

4 Senken Sie einatmend den erhobenen rechten Arm und kommen Sie zurück in den Kniestand. Spüren Sie kurz nach, bevor Sie zur anderen Seite wechseln.

5 Setzen Sie sich zur Entspannung auf die Fersen. Legen Sie beide Fäuste übereinander und beugen Sie den Oberkörper nach vorne, bis Sie die Stirn auf den Fäusten ablegen können.

Energiehocke

WICHTIG	→ Konzentration auf Öffnung im Becken
HILFEN	→ eine zusammengerollte Decke unter die Fersen legen
CD	→ Track 12

2

1 Gehen Sie mit weit gegrätschten Beinen in die Hockstellung, die Füße stehen parallel oder werden leicht nach außen gedreht. Die Fersen sollten so weit wie möglich zum Boden kommen (Sie können ein zusammengerolltes Handtuch oder ein Kissen unter die Fersen legen). Der Rücken bleibt gerade, der Nacken lang gedehnt.

2 Legen Sie die angewinkelten Arme zwischen die Knie und die Handflächen und Finger aneinander. Atmen Sie mehrere Atemzüge tief und entspannt in Ihr Becken hinein. **A**

3 Spannen Sie beim Einatmen die Beckenbodenmuskulatur an und ziehen Sie das Steißbein zum Boden. Üben Sie dabei einen kräftigen Druck von den Ellbogen ausgehend gegen die Widerstände der Knie aus.

4 Entspannen Sie die Beckenbodenmuskeln mit dem Ausatmen wieder, lösen Sie den Druck der Arme und wiederholen Sie An- und Entspannung mehrmals.

5 Legen Sie sich zur Entspannung auf den Rücken, stellen Sie die Beine auf **B** und lassen Sie mit dem Ausatmen die Beine locker in die Grätsche weggleiten.

Fisch **Matsyasana**

1 Legen Sie sich mit gestreckten Beinen auf den Rücken, die Zehen sind zum Körper herangezogen. Schieben Sie die Hände unter die Lenden und dann etwas tiefer, sodass die Handrücken seitlich unter dem Gesäß liegen.

2 Drücken Sie die Unterarme fest zum Boden und bringen Sie die Ellbogen so nahe wie möglich an den Körper. Heben Sie den Oberkörper und wölben Sie die Brust nach oben. Der Blick geht geradeaus, der Nacken ist lang gedehnt. **A**

3 Legen Sie sich wieder auf den Rücken und die jetzt lang ausgestreckten Arme unter den Körper, die Hände liegen übereinander unter dem Gesäß. Bringen Sie die Oberarme so weit wie möglich unter

den Rücken, indem Sie die Schulterblätter zusammenziehen. So wölbt sich der Brustkorb etwas nach oben. Ziehen Sie die Zehen zum Körper heran.

4 Heben Sie einatmend den Brustkorb, indem Sie die Ellbogen kräftig auf den Boden drücken und die Schulterblätter noch mehr zusammenziehen. Der Brustkorb wölbt sich nach oben, der Kopf liegt leicht mit dem Scheitel auf. **B**

5 Bleiben Sie mehrere Atemzüge in dieser Haltung. Senken Sie dann mit dem Ausatmen den Brustkorb, ziehen Sie die Knie zur Entspannung mit den Armen an die Brust und spüren Sie nach.

Schulterstand **Sarvangasana**

WICHTIG **VORSICHT** **HILFEN**	→ Konzentration auf Entspannung von Hals und Schultern → bei Bluthochdruck oder starker Schilddrüsenüberfunktion nur bis Schritt 2 üben → eine zusammengefaltete Decke so unter den oberen Rücken legen, dass sie mit den Schultern abschließt
CD	→ Track 14

1 Legen Sie sich auf den Rücken, die Arme liegen neben dem Körper. Dehnen Sie den Nacken, das Kinn ist leicht zum Brustbein herangezogen.

2 Spannen Sie die Bauchmuskeln an und führen Sie ausatmend die gebeugten Beine über den Kopf. Stützen Sie den unteren Rücken mit den Händen und bringen Sie die Ellbogen näher zusammen. **A**

3 Strecken Sie die Beine nach oben und dehnen Sie sich über die Oberschenkel bis in die Zehen. Schieben Sie, wenn nötig, die Ellbogen etwas näher zueinander. Entspannen Sie das Gesicht. **B**

4 Bleiben Sie mehrere Atemzüge in dieser Stellung, bevor Sie ausatmend die Beine wieder beugen und langsam Wirbel für Wirbel abrollen bis in die Rückenlage.

Kreuzatmung

WICHTIG → Konzentration auf die Vibration der Töne im Körper
CD → Track 15

1 Nehmen Sie eine entspannte Rückenlage ein und breiten Sie die Arme auf Schulterhöhe aus, die Handflächen sind nach oben gedreht.  A

2 Stellen Sie sich Ihren Körper wie ein Kreuz vor: Der Längsbalken ist die Wirbelsäule mit dem Kopf, den Querbalken bilden die Arme. Lenken Sie die Konzentration in die Herzmitte und schicken Sie Ihre volle Aufmerksamkeit in diesen Körperbereich.

3 Lenken Sie den Atem von der Herzmitte aus nach unten in die Beine und tönen Sie dreimal ein tiefes »U«, das Sie in Ihrer Vorstellung durch die Wirbelsäule bis in die Füße vibrieren lassen.

4 Lenken Sie den Atem von der Herzmitte aus bis zum Scheitel und tönen Sie dreimal ein hohes »I«, das Sie in Ihrer Vorstellung durch den Hals und den ganzen Kopf vibrieren lassen.

5 Lenken Sie den Atem von der Herzmitte aus in die gestreckten Arme und tönen Sie dreimal ein offenes »A«, das Sie in Ihrer Vorstellung durch Schultern und Arme bis in die Hände vibrieren lassen.

6 Tönen Sie abschließend dreimal ein »Om«, das sich in Ihrem ganzen Körper ausbreitet.

7 Spüren Sie kurz nach, bevor Sie abschließend die Knie an die Brust heranziehen und nach beiden Seiten rollen.

Entspannungshaltung in der Bauchlage

WICHTIG	→ Konzentration auf den Unterbauch und die Atembewegung in der Leistengegend
HILFEN	→ mit einem kleinen Kissen unter dem Bauch Ihre Lendenwirbelsäule entlasten
CD	→ Track 16

1 Legen Sie sich auf einer weichen Unterlage auf den Bauch, die Beine sind gegrätscht, die Fersen zeigen nach innen, die Fußspitzen nach außen. Ziehen Sie dann die Fußspitzen etwas zum Körper heran, die Innenseiten der Beine werden dabei gedehnt. Halten Sie die Spannung einen Moment und lassen Sie wieder los.

2 Legen Sie die Handflächen übereinander und den Kopf entweder mit der Stirn oder seitlich mit einer Schläfe auf den Händen ab. Lassen Sie sich Zeit, um eine für Nacken und Hals bequeme Lage zu finden. **A**

3 Lenken Sie die Aufmerksamkeit in den Bauch- und Beckenraum, während der Atem ruhig und gleichmäßig fließt. Spüren Sie die angenehme Dehnung in den Leisten und beobachten Sie die Atembewegung in diesem Bereich. Stellen Sie sich dabei vor, wie sich während dieser Ruhephase die Zellen Ihres Immunsystems in heilsamer Ordnung befinden.

4 Um die Übung aufzulösen, dehnen Sie kräftig Ihre Fersen vom Körper weg (die Zehen dabei heranziehen) und die Arme nach oben.

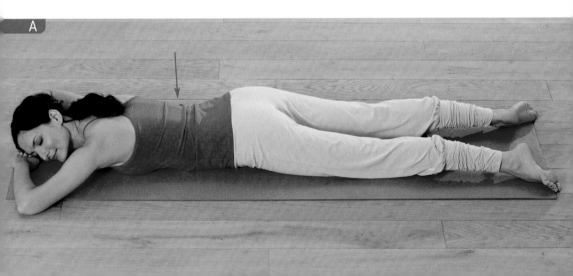
A

Die Übungen auf einen Blick:
Yoga für ein
wachsames Immunsystem

Heldenstellung
Virabhadrasana

Vorwärtsbeuge
Uttanasana

Kraftvoller Kniestand
Hari Hara Asana

Energiehocke

Fisch **Matsyasana**

2

Schulterstand
Sarvangasana

6

Kreuzatmung

7

Entspannungshaltung in der Bauchlage

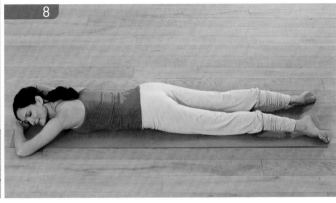

8

Yoga für starke Nerven und einen klaren Kopf

Das Gehirn – Sitz des menschlichen Geistes

Die Teile unseres Gehirns haben sich in verschiedenen Phasen der Evolution entwickelt. Das Großhirn ist die jüngste Errungenschaft. Es besteht aus zwei symmetrischen Hälften, verbunden durch ein Faserbündel (den »Balken«). Die linke Hälfte ist dominant zuständig für Sprechen, logisches Denken und das Zeitempfinden. Rechts findet vernetztes ganzheitliches Denken statt; hier sind musikalische und künstlerische Begabungen, Phantasie und Kreativität sowie räumliche Wahrnehmung zu Hause. Beide Hälften sind aufeinander angewiesen. Um effektiv arbeiten zu können, muss jede Hälfte auf die Erfahrungen und das Wissen der anderen zurückgreifen. Wie im gesamten Organismus sind auch hier Ausgleich und Zusammenarbeit gefragt.
In der Hirnrinde findet die bewusste Verarbeitung von Sinneseindrücken statt. Hier wird gedacht, verarbeitet, gespeichert und abgerufen; kreative Ideen werden hier geboren. Das Kleinhirn ist vor allem für die Koordination der Muskelaktivität verantwortlich. Der älteste Teil des Gehirns, das Stammhirn, stellt die Verbindung zum Rückenmark her. Hier werden unter anderem Vorgänge wie Atmung und Herztätigkeit gesteuert.

Die Nerven – schnelle Information auf allen Ebenen

Nervenfaserbündel führen vom Gehirn über das Rückenmark in die Peripherie und umgekehrt. In der Peripherie nehmen die Nerven Informationen auf (etwa über den Tastsinn) und leiten sie zum Gehirn. Von dort werden, wieder über Nervenfasern, gegebenenfalls Anweisungen an Muskelzellen gegeben.

Positive Gefühle fördern die Hirnleistung

Das Verarbeitungszentrum für Gefühle (Limbisches System) ist mit allen Gehirnteilen eng vernetzt. Das erklärt, warum wir das, was uns am meisten interessiert, am leichtesten lernen: beispielsweise eine neue Sprache, wenn wir in jemanden verliebt sind, der diese spricht.

Kalesvara Mudra für starke Nerven und einen klaren Kopf Die Hände vor der Stirn aneinanderlegen, die Spitzen der Daumen sowie der gestreckten Mittelfinger berühren sich, die anderen Finger nach innen biegen und gegeneinanderdrücken.

Auf diese Weise kann eine willentliche Aktion in Gang gesetzt werden: Zum Beispiel greift die Hand zu oder wird weggezogen. Dieser Teil des Nervensystems heißt willkürliches Nervensystem.

Das autonome Nervensystem hingegen arbeitet weitgehend unabhängig von unserem bewussten Willen: Es ist unter anderem zuständig für die Abläufe in Magen und Darm, es koordiniert die Atmung und regelt die Funktionen des Herz-Kreislauf-Systems. Das autonome Nervensystem arbeitet auf sehr komplexe Weise. Es ist nur in geringem Maße willentlich steuerbar, wird aber von unseren unbewussten Impulsen, von Gedanken und Gefühlen beeinflusst. So können etwa Ängste das Herz schneller schlagen lassen oder sorgenvolle Gedanken zu Magenschmerzen führen.

In der Ruhe liegt die Kraft

Einen klaren Kopf mitten in den vielfältigen Anforderungen des Lebens zu behalten, fällt uns schwer, wenn die Gefühle verwirrende Signale senden. Immer wieder mischen sich diese ungewollt zusammen mit abschweifenden, nicht der konkreten Sache dienlichen Gedanken in scheinbar klare Überlegungen ein. Die indischen Schriften bezeichnen dies als »das Hüpfen der Affenherde von Ast zu Ast«. Eine solche innere Unruhe erschwert die Konzentration. Zu den wichtigsten Elementen des Yoga-Weges gehört es deshalb, das Gedankenrad zur Ruhe zu bringen. Wenn Sie die Körperübungen mit der notwendigen Konzentration und Atemlenkung durchführen, werden Sie feststellen, wie Sie spürbar ruhiger und konzentrierter werden. Der rastlose Geist wird sozusagen an den Körper angebunden und kann nicht zu anderen Dingen abschweifen. Die Yoga-Übungen haben aber auch rein körperlich eine wohltuende Wirkung auf das Nervensystem, indem sie beispielsweise zur Entspannung der Muskulatur führen oder zur Auflösung von Blockaden in den Wirbelgelenken. Eingeklemmte Nerven können so befreit werden, Schmerz kann gelindert werden.

Konzentration Sie ist zusammen mit der bewussten Atemlenkung besonders wichtig, um einen rastlosen Geist zu beruhigen.

3

Was Sie von diesen Übungen erwarten können

→ Auflösung von Blockaden, bessere nervliche Versorgung des Körpers

→ stabileres Gleichgewichtsgefühl

→ verbesserte Konzentrationsfähigkeit

→ Ausgeglichenheit und größere nervliche Belastbarkeit

Palme **Talasana**

WICHTIG	→ Konzentration auf das Gleichgewicht
HILFEN	→ einen Punkt vor sich auf dem Boden fixieren
CD	→ Track 17

A

1 Stehen Sie aufrecht in der Berghaltung (s. Seite 76), der Rücken ist aufgerichtet, die Füße sind parallel, die Arme neben dem Körper.

2 Heben Sie einatmend die Arme über den Kopf (die Handflächen zeigen nach vorne oder zur Mitte) und kommen Sie in den Zehenstand **A**. Heben Sie dabei die Fersen, so weit es Ihnen möglich ist.

3 Ziehen Sie die Schultern aktiv nach unten. Lassen Sie beim Ausatmen das Gewicht nach unten in die Füße sinken, ohne die Aufrichtung nach oben zu verlieren, und konzentrieren Sie sich beim Einatmen auf die gedehnten Arme und Hände, ohne die Verbindung zum Boden zu verlieren.

4 Atmen Sie tief und spüren Sie konzentriert in Ihren Körper. Verbinden Sie das Ausatmen mit der Vorstellung, dass Sie Energie (oder unruhige Gedanken) vom Kopf in die Füße lenken.

5 Senken Sie ausatmend die Arme und kommen Sie mit den Fersen zum Boden zurück. Spüren Sie kurz nach.

Baum **Vrksasana**

WICHTIG	→ Konzentration auf Füße (Erde) und Hände (Himmel)
HILFEN	→ sich an eine Wand lehnen, bis Sie das Gleichgewicht selbst halten können
CD	→ Track 18

1 Nehmen Sie die Berghaltung (s. Seite 76) ein. Stellen Sie sich vor, Sie verwurzeln Ihre Füße im Boden.

2 Verlagern Sie das Gewicht auf das rechte Bein, heben Sie das linke Bein und legen Sie die Fußsohle an die Innenseite des rechten Unterschenkels. **A**

3 Setzen Sie den Fuß jetzt etwas höher an die Innenseite des Oberschenkels – so nahe wie möglich an die Leiste (Sie können dazu den Fuß mit der Hand höher heben). Das Knie zeigt so weit wie möglich nach außen, das Becken nach vorn, beide Hüften sind auf gleicher Höhe.

4 Dehnen Sie einatmend die Arme aus der Mitte heraus nach oben und legen Sie die Handflächen aneinander. Strecken Sie die Zeigefinger und verschränken Sie die anderen Finger. **B**

5 Öffnen Sie den Brustkorb und ziehen Sie die Schultern etwas nach unten. Atmen Sie ruhig und gleichmäßig.

6 Lassen Sie ausatmend die Arme sinken, lösen Sie die Fußsohle vom Oberschenkel und stellen Sie den Fuß zurück auf den Boden. Spüren Sie kurz nach, bevor Sie die Seite wechseln.

3

Krokodil **Nakrasana** (ein Bein angewinkelt)

WICHTIG	→ Konzentration auf die Körper-Mittelachse
VORSICHT	→ bei Rückenschmerzen sehr achtsam üben
HILFEN	→ das Knie mit der Hand sanft nach unten drücken
CD	→ Track 19

1 Legen Sie sich auf den Rücken, der Nacken ist gedehnt, das Kinn leicht zum Brustbein gezogen, die Beine sind gestreckt.

2 Breiten Sie die Arme in Schulterhöhe aus, die Handflächen zeigen nach oben.

3 Stellen Sie den rechten Fuß auf Ihr linkes Knie. Ziehen Sie das Steißbein nach vorne, sodass der untere Rücken etwas länger wird.

4 Mit dem Ausatmen kippen Sie das Knie nach links und drehen dabei den Kopf nach rechts. Beide Schultern bleiben am Boden liegen. **A**

5 Bleiben Sie einige Atemzüge in dieser Haltung und kommen Sie einatmend zur Mitte zurück. Legen Sie die Beine nebeneinander und spüren Sie nach, bevor Sie die Seite wechseln.

A

Kamel **Ustrasana**

WICHTIG	→ Konzentration auf aktive Beckenboden- und Oberschenkelmuskulatur
VORSICHT	→ bei Bandscheibenproblemen nur die erste Variante **A** wählen
HILFEN	→ die Zehen aufstellen und/oder die Knie hüftbreit auseinanderstellen
CD	→ Track 20

1 Ausgangsstellung ist der Fersensitz. Erheben Sie sich in den Kniestand und stützen Sie die Hände so auf die Hüften, dass die Daumen nach hinten in Richtung Wirbelsäule gedreht sind.

2 Halten Sie die Lendenwirbelsäule aufrecht, indem Sie das Steißbein nach vorne ziehen und Beckenboden sowie Oberschenkel anspannen. Heben Sie die Schlüsselbeine an, drücken Sie die Schulterblätter zusammen und ziehen Sie die Schultern nach hinten. **A**

3 Ziehen Sie den Bauch ein, um den unteren Rücken zu stabilisieren. Halten Sie diese Spannung, während Sie sich mit geradem Rücken zurückbeugen. Lösen Sie zunächst die rechte Hand und

stützen Sie sich auf der rechten Ferse ab. Lösen Sie dann die linke Hand und stützen Sie sich auf der linken Ferse ab. **B**

4 Der Körper bildet jetzt einen gespannten Bogen, der Kopf bleibt in Verlängerung der Wirbelsäule. Wenn es Ihnen angenehm ist, können Sie den Kopf locker nach hinten fallen lassen.

5 Bleiben Sie einige Atemzüge lang in dieser Haltung, heben Sie mit dem Einatmen den Kopf, wenn Sie ihn nach hinten haben fallen lassen, lösen Sie die Hände nacheinander und richten Sie den Rücken wieder auf.

6 Gehen Sie in den Fersensitz, beugen Sie sich nach vorne und legen Sie die Stirn auf dem Boden ab. Spüren Sie nach.

3

Entspannung für das Sonnengeflecht **Pavanmuktasana**

WICHTIG	→ Konzentration auf die Vertiefung des Atems
HILFEN	→ die Fäuste unter die Stirn legen
CD	→ Track 21

1 Ausgangsstellung ist der Vierfüßlerstand, die Schultern befinden sich senkrecht über den Händen, die Knie über den Füßen, der Kopf bildet die Verlängerung der Wirbelsäule.

2 Winkeln Sie die Ellbogen an und schieben Sie das linke Bein ausatmend zurück, bis es gestreckt auf dem Boden liegt. Kommen Sie mit dem Oberkörper nach unten, bis die Stirn den Boden berührt. **A**

3 Bleiben Sie so lange in dieser Haltung, wie es Ihnen guttut, und atmen Sie dabei ruhig und gleichmäßig.

4 Kommen Sie einatmend in den Vierfüßlerstand zurück und spüren Sie kurz nach, bevor Sie die Übung mit dem anderen Bein ausführen.

A

Wechselatmung **Nadi Sodhana Pranayama**

WICHTIG → Konzentration auf den Weg des Atems durch die Nase bis zur Stirn
CD → Track 22

1 Nehmen Sie eine bequeme und aufrechte Sitzhaltung ein. Die linke Hand liegt auf dem linken Knie, Zeigefinger und Daumen sind aneinandergelegt, die übrigen Finger gestreckt.

2 Legen Sie den Daumen der rechten Hand locker an die Nase, etwas oberhalb des rechten Nasenlochs. Ringfinger und kleiner Finger liegen auf gleicher Höhe am linken Nasenloch, Zeige- und Mittelfinger winkeln Sie zur Handfläche hin an.

3 Drücken Sie das linke Nasenloch zu und atmen Sie rechts ein. **A** Am Ende der Einatmung verschließen Sie beide Nasenlöcher, halten eine kurze Atempause und öffnen dann das linke Nasenloch, um auszuatmen.

4 Atmen Sie jetzt durch das linke Nasenloch ein, während das rechte verschlossen bleibt. Verschließen Sie beide Nasenlöcher während der Atempause und atmen Sie rechts aus. Dann wieder rechts beginnen.

Einatmen, Atempause und Ausatmen erfolgen jeweils im gleichen Rhythmus, zum Beispiel zwei Takte Einatmen, zwei Takte Halten, zwei Takte Ausatmen. Wenn Sie damit vertraut sind, verlängern Sie die drei Phasen zum Beispiel auf je vier Takte.

Yoni Mudra

WICHTIG
VORSICHT
→ Konzentration auf innere Stille
→ bei hohem Blutdruck die Luft nur kurz anhalten

A

1 Nehmen Sie eine aufrechte Sitzhaltung ein und heben Sie das Brustbein aktiv nach oben. Atmen Sie einige Male tief aus und ein. Legen Sie beide Daumen an die Ohren, die Zeige- und Mittelfinger liegen auf den Augenlidern. Die Ringfinger liegen an den beiden Nasenflügeln, die kleinen Finger unter der Unterlippe.

2 Atmen Sie nicht zu tief ein und halten Sie den Atem an. Verschließen Sie dabei mit den Daumen die Ohren, mit den Zeige- und Mittelfingern die Augen und mit den Ringfingern die Nase. **A**

3 Senken Sie das Kinn auf die Brust (der Rücken bleibt dabei gerade) und halten Sie diesen Verschluss, so lange es Ihnen möglich ist. Es sollte dabei kein unangenehmes Gefühl entstehen.

4 Heben Sie den Kopf, nehmen Sie die Finger von den Nasenlöchern und atmen Sie tief aus. Die anderen Finger bleiben an ihrem Platz. Wiederholen Sie die Übung fünf- bis sechsmal.

Entspannung

WICHTIG	→ Konzentration auf den Energiefluss in Armen und Beinen
HILFEN	→ ein kleines Kissen unter den Kopf oder unter die Lendenwirbelsäule legen
CD	→ Track 23

1 Legen Sie sich auf den Rücken und stellen Sie die Beine etwas weiter als hüftbreit auf. Legen Sie die gestreckten Arme schräg nach oben und winkeln Sie die Ellbogen an, sodass die Hände locker vorne auf den Schultern liegen. **A**

2 Lassen Sie ausatmend die Füße nach außen gleiten, bis die Beine gestreckt sind, und strecken Sie gleichzeitig die Arme schräg nach oben. **B**

3 Dehnen Sie einatmend Arme und Beine, lösen Sie die Spannung nach einer kurzen Atempause auf. Wiederholen Sie Dehnen und Entspannen mehrmals und bleiben Sie einige Atemzüge in der Dehnhaltung, bevor Sie sich wieder aufsetzen.

3

A

B

Die Übungen auf einen Blick: Yoga für starke Nerven und einen klaren Kopf

Palme **Talasana**

Baum **Vrksasana**

Krokodil **Nakrasana**

Kamel **Ustrasana**

Entspannung für das Sonnengeflecht
Pavanmuktasana

3

Wechselatmung **Nadi Sodhana Pranayama**   **Yoni Mudra**

Entspannung

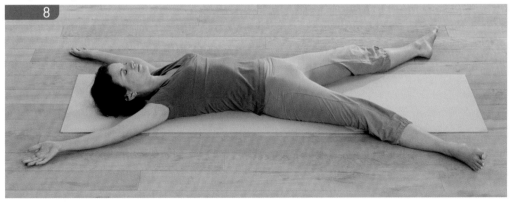

Yoga für Lebensfreude und eine ausgeglichene Psyche

Die Psyche als Quelle der Lebendigkeit

Das griechische Wort Psyche bedeutet Atem oder Hauch. Ohne Atem ist kein Leben möglich. So wird deutlich, dass es sich bei der Psyche um das belebende Element im Menschen handelt, um die innere lebendige Seite des Menschen, die sich aus seinen Anlagen und Erfahrungen bildet und die auf Denken und Handeln einwirkt. Alles was wir sehen, hören, fühlen und empfinden, beeinflusst unsere Psyche und somit unsere Lebendigkeit.

Eine ausgeglichene Psyche zeigt sich darin, dass der Mensch schwierige Erfahrungen und Konflikte annehmen, Spannungen aushalten und nach einer gewissen Zeit zu einem harmonischen Gleichgewicht zurückfinden kann. Eine wichtige Hilfe dabei ist, sich der wirklichen Gefühle bewusst zu werden.

Mudra des inneren Wesens Auf Höhe des Nabels die Zeige-, Mittel-, Ring- und Kleinfingerspitzen beider Hände aneinanderlegen, ebenso die Handballen, dann die Daumen nebeneinander nach innen zu den Kleinfingerspitzen führen.

Emotionale Balance durch Yoga

Der Yoga-Weg bezeichnet die essentiellen Gefühle, die unser Leben begleiten und nicht selten beherrschen, als »Rasas«. Sie erst machen uns lebendig, geben dem Leben Farbe.

Wenn allerdings einer dieser Gefühlszustände wie Ärger, Abneigung, Widerwille, Wut oder auch Freude zu stark hervortritt, wird der ganze Mensch davon beeinflusst, manchmal wird er sogar zum Sklaven eines Gefühls.

Krankheit aus dem Unbewussten

Vor allem schmerzhafte Erfahrungen, scheinbar unlösbare Konflikte oder auch nicht eingestandener Ärger werden häufig verdrängt. Diese angestauten Gefühle belasten den Menschen auf allen Ebenen und führen über kurz oder lang auch zu körperlichen Symptomen oder zu Krankheiten. »Seelenhygiene« durch Loslassen von negativen Gefühlen wirkt deshalb gesundheitsfördernd.

Rationale Überlegungen sind dann kaum noch möglich; das Gefühl hat die Vorherrschaft übernommen. Das Erkennen dieser Situation ist der erste Schritt zur Befreiung daraus. Der Yoga-Weg bietet viele Möglichkeiten, die psychische Balance auch in schwierigen Lebenssituationen wiederzufinden, sich aus Abhängigkeit zu lösen und zu einem positiven Umgang mit Gefühlen zu finden, ohne sie zu unterdrücken.

Atem und Gefühle sind eng verbunden

Neben den Körperübungen, die stabilisieren und innere Ruhe bringen, haben die Atemübungen besondere Bedeutung. Sicher haben Sie schon einmal festgestellt, wie Gefühle den Atem verändern. Denken Sie zum Beispiel daran, wie Sie atmen, wenn Sie staunend etwas betrachten oder wenn Sie ausgelassen und lustig sind. Vielleicht können Sie sich auch an eine Situation von Angst oder Trauer erinnern? Der Atem steht in direkter Verbindung mit den Gefühlen. Wenn Sie aufgeregt sind, kann ein langes und tiefes Ausatmen helfen, ruhiger zu werden. Im Fall von Trauer ist verstärktes, tiefes Ein- und Ausatmen hilfreich, das sich dann in Seufzen oder Stöhnen wandeln kann. Schließen Sie kurz die Augen, breiten Sie die Arme aus, atmen Sie tief ein und mit einem hörbaren Ton, mit einem »haaa« oder »hooo« aus. Sicher werden Sie sofort die befreiende Wirkung spüren.

Innere Stille wirkt ausgleichend

Ein weiterer hilfreicher Aspekt auf dem Weg zu einer ausgeglichenen Psyche ist die Stille, die in der Meditation erlebbar wird. Es geht dabei nicht nur um eine äußere Stille, das heißt um ein Ausschalten von Störungsquellen, sondern vielmehr um die innere Stille. Eine bewährte Übung ist das Beobachten der Gedanken und der mit ihnen verbundenen Gefühle. Allein die Tatsache, dass diese Gedanken und Gefühle nicht festgehalten werden, sondern weiterziehen dürfen wie ungebetene Gäste, kann zu innerer Ruhe und Harmonie führen.

Der Atem – Spiegel der Emotionen Atemübungen haben für die psychische Ausgeglichenheit eine besondere Bedeutung.

Was Sie von diesen Übungen erwarten können

→ bessere Wahrnehmung der eigenen Gefühle und Stimmungen
→ die Möglichkeit, Stimmungen positiv zu beeinflussen
→ mehr psychische Stabilität (zum Beispiel durch Standhaltungen)
→ Antriebskraft und Lebensfreude

Baum im Wind

A

1 Nehmen Sie die Berghaltung ein (s. Seite 76), der Rücken ist aufgerichtet, die Arme sind neben dem Körper. Spüren Sie die Auflageflächen Ihrer Füße: Großzehenballen, Kleinzehenballen, Fersen.

2 Dehnen Sie einatmend beide Arme aus der Mitte heraus nach oben, die Handflächen liegen aneinander, die Oberarme möglichst neben den Ohren. Ziehen Sie die Schultern aktiv nach unten und bringen Sie die Schulterblätter so nahe wie möglich zusammen.

3 Beugen Sie sich ausatmend nach links, ohne mit dem Oberkörper nach vorne oder hinten auszuweichen A. Bleiben Sie ein paar Atemzüge lang in dieser Stellung und spüren Sie die Dehnung auf der ganzen rechten Seite. Nehmen Sie den festen, stabilen Stand wahr und gleichzeitig die Leichtigkeit in der Dehnung: unten fest und stark – oben leicht und beweglich.

4 Kommen Sie einatmend zur Mitte zurück, lassen Sie die Arme sinken und spüren Sie nach, bevor Sie die Übung zur anderen Seite durchführen.

Heldenstellung **Virabhadrasana**

WICHTIG → Konzentration auf kraftvollen Stand und auf ein Ziel

1 Stehen Sie aufrecht in der Berghaltung (s. Seite 76) und gehen Sie dann in eine weite Grätsche, der Rücken ist dabei aufgerichtet, die Arme sind neben dem Körper.

2 Drehen Sie den rechten Fuß 90 Grad nach außen, den linken leicht nach innen. Die rechte Ferse bildet eine Linie mit der Mittelachse des linken Fußes.

3 Drehen Sie Becken und Oberkörper nach rechts und winkeln Sie das rechte Bein an, sodass sich das Knie über dem Fuß befindet. Geben Sie verstärkt Druck auf die Außenkante des linken Fußes.

4 Strecken Sie beide Arme auf Schulterhöhe nach vorne, die Finger gestreckt.

Der Oberkörper bleibt aufgerichtet, der Kopf in Verlängerung der Wirbelsäule. **A**

5 Ballen Sie die linke Hand zur Faust, winkeln Sie den Arm an und ziehen Sie ihn auf Schulterhöhe zurück, so als würden Sie einen Bogen spannen. **B**

6 Richten Sie den Blick über den rechten Mittelfinger hinaus nach vorne auf ein imaginäres Ziel.

7 Halten Sie die Spannung über mehrere Atemzüge, bevor Sie mit dem Ausatmen die Übung auflösen. Lassen Sie die Arme sinken und kommen Sie in die Ausgangsstellung zurück. Spüren Sie nach, bevor Sie zur anderen Seite wechseln.

4

Gestreckte Seitdehnung **Trikonasana**

1 Stehen Sie aufrecht in der Berghaltung (s. Seite 76) und gehen Sie dann in eine weite Grätsche, in der Sie stabil und fest stehen, der Rücken ist aufgerichtet, die Arme sind neben dem Körper.

2 Drehen Sie den linken Fuß 90 Grad nach außen, den rechten leicht nach innen. Legen Sie die Hände locker auf die Schultern und heben Sie die Unterarme einatmend auf Höhe der Schultern.

3 Drücken Sie die Schulterblätter etwas näher zueinander, bevor Sie ausatmend die Arme zur Seite strecken, die Handflächen zeigen nach vorne. **A**

4 Beugen Sie ausatmend das linke Knie, bis der Unterschenkel senkrecht steht.

5 Atmen Sie ein und legen Sie ausatmend den linken Unterarm auf den gebeugten linken Oberschenkel.

6 Führen Sie mit dem nächsten Einatmen den rechten Arm über den Kopf zur linken Seite, sodass eine gerade Linie vom rechten Fuß bis zu den rechten Fingerspitzen entsteht. **B**

7 Halten Sie die Übung einige Atemzüge lang, bringen Sie dann beide Arme in die Waagerechte zurück. Strecken Sie die Beine, lassen Sie die Arme sinken und kommen Sie in die Ausgangsstellung zurück. Spüren Sie nach, bevor Sie zur anderen Seite wechseln.

Schmetterling **Baddha Konasana**

WICHTIG **VORSICHT** **HILFEN**	→ Konzentration auf Öffnung in der Leistengegend → bei Hüft- und Knieproblemen → zusammengerollte Decken oder Kissen unter die Knie legen und/oder ein Kissen unter dem Gesäß platzieren

1 Setzen Sie sich mit gestreckten Beinen und aufgerichtetem Rücken auf die Unterlage, der Nacken ist lang gedehnt.

2 Winkeln Sie die Beine an, lassen Sie die Knie nach außen sinken, legen Sie die Fußsohlen aneinander und ziehen Sie die Fersen so nahe wie möglich zum Schambein heran.

3 Umfassen Sie die Zehen mit beiden Händen, richten Sie den Rücken aktiv auf und entspannen Sie die Schultern. Lassen Sie mit jedem Ausatmen Span-nung in den Leisten los, sodass die Knie Richtung Boden sinken können. Achten Sie darauf, dass der Brustkorb nicht ein-sinkt. Bleiben Sie zehn bis zwanzig Atem-züge in dieser Haltung. **A**

4 Lösen Sie die Hände und stellen Sie die Arme so nahe wie möglich hinter dem Rücken ab. Heben Sie den Brustkorb und dehnen Sie den Oberkörper kurz nach hinten. **B**

5 Legen Sie sich zum Entspannen kurz auf den Rücken, schütteln Sie die Beine aus.

4

A

B

Vierfüßlerstand mit gestrecktem Bein **Kutilangasana**

WICHTIG → Konzentration auf den unteren Rücken und das gestreckte Bein
HILFEN → ein Kissen unter das Knie legen

1 Ausgangsstellung ist der Vierfüßler-stand, die Hände sind unter den Schul-tern, die Hüften über den Knien, die Fußrücken liegen auf dem Boden.

2 Heben Sie einatmend das rechte Bein in Verlängerung des Rückens, die Fuß-spitze ist gestreckt. Schieben Sie das Kinn etwas nach vorne, der Blick geht schräg nach oben.

3 Winkeln Sie ausatmend den linken Unter-schenkel an und legen Sie die Fußsohle unter das rechte Knie. Dehnen Sie ein-atmend das gestreckte Bein noch etwas weiter nach hinten und schieben Sie das Kinn noch mehr nach vorne. **A**

4 Lösen Sie nach einigen Atemzügen die Übung auf, indem Sie in den Vierfüßler-stand zurückkommen und das Kinn leicht zum Brustbein ziehen. Spüren Sie nach, bevor Sie zur anderen Seite wechseln.

Schulterbrücke

WICHTIG HILFEN
→ Konzentration auf den Nabel und die Körpermitte
→ die Hände in der Taille abstützen

1 Legen Sie sich auf den Rücken und stellen Sie die Beine auf, Füße und Knie hüftbreit auseinander, die Arme liegen neben dem Körper, die Handflächen zeigen zum Boden. Achten Sie darauf, dass der Nacken während der Übung gestreckt bleibt.

2 Spannen Sie einatmend den Beckenboden an, drücken Sie sich kraftvoll von den Fersen ausgehend nach oben und heben Sie das Becken. Achten Sie darauf, dass beide Hüftknochen auf einer Ebene sind. Stellen Sie sich vor, wie Sie Schambein und Steißbein zu den Knien hin verlängern.

3 Verschränken Sie die Hände und ziehen Sie die Schultern und die gestreckten Arme Richtung Füße **A**. Bleiben Sie mehre Atemzüge in dieser Haltung.

4 Strecken Sie einatmend das rechte Bein, der rechte Oberschenkel bleibt auf Höhe des linken Oberschenkels **B**. Bleiben Sie drei bis fünf Atemzüge lang in dieser Haltung, bevor Sie zuerst das Bein und dann das Becken ablegen. Mit dem nächsten Einatmen das Becken und das linke Bein heben.

5 Zur Entspannung die Knie zur Brust heranziehen.

4

Panther **Pundarikamasana**

1 Gehen Sie in den Vierfüßlerstand, die Hände sind unter den Schultern, die Hüften über den Knien.

2 Setzen Sie sich auf die Fersen ab und dehnen Sie den ganzen Körper. Die Stirn liegt auf dem Boden, die Arme sind gestreckt.

3 Heben Sie das Becken, bis die Oberschenkel senkrecht stehen, Kopf und Arme bleiben auf dem Boden liegen **A** .

Geben Sie das ganze Gewicht des Rumpfes über Kopf, Arme und Hände an den Boden ab. Bleiben Sie einige Atemzüge in dieser Haltung, vertiefen Sie dabei das Ausatmen.

4 Setzen Sie sich zurück auf die Fersen und richten Sie sich langsam auf.

A

Bär **Rkshasasana**

→ Konzentration auf Lockerheit in den Gelenken

1 Legen Sie sich auf den Rücken, die Arme neben dem Körper. Bringen Sie die angewinkelten Beine so nah wie möglich zum Körper.

2 Winkeln Sie die Arme an, legen Sie die Hände locker vorne auf die Schultern.

3 Stoßen Sie jetzt abwechselnd einige Male Unterschenkel und Unterarme aus der Mitte heraus kräftig nach oben.

4 Schütteln Sie Arme und Beine kräftig nach oben aus, achten Sie dabei darauf, dass Hand- und Fußgelenke ganz locker bleiben. **A**

5 Winkeln Sie Arme und Beine wieder an und strecken Sie sich noch einmal kräftig durch.

4

Atem der summenden Biene **Bhramari-Atmung**

→ Konzentration auf die Vibration der Töne im Hals und im Gesicht
→ bei auftretenden Schwindelgefühlen eine Pause einlegen
→ zunächst ohne Ohrenverschluss üben

1 Setzen Sie sich mit angezogenen Knien auf den Boden. Legen Sie die Ellbogen auf den Knien ab und verschließen Sie die Ohren mit den Daumen, die anderen Finger können Sie locker auf die Augen legen. **A**

2 Richten Sie den Rücken auf, dehnen Sie den Nacken lang und entspannen Sie Schultern und Gesicht.

3 Beim langsamen und bewussten Einatmen wird die Luft so eingesogen, dass sie in der Gaumenhöhle gespürt und auch mit einem leisen reibenden Geräusch gehört wird.

4 Produzieren Sie beim Ausatmen ein summendes Geräusch im Rachen in verschiedenen Tonhöhen, so lange, bis Sie die Ihnen angenehmste Höhe gefunden haben. Bleiben Sie dann dabei über zehn bis zwanzig Atemzüge.

5 Stellen Sie sich vor, wie die durch den Ton entstehende Vibration alle Zellen stimuliert und lebendig werden lässt.

6 Lösen Sie die Übung auf und spüren Sie in der Rückenlage nach.

Aufladung des Sonnengeflechts

WICHTIG → Konzentration auf die Vibration der Töne im Körper

1 Setzen Sie sich aufrecht hin und reiben Sie die Handflächen fest aneinander, bis sie warm werden. Legen Sie die etwas gespreizten Fingerspitzen so auf den Oberbauch, dass sich die Finger nicht berühren. **A**

2 Schließen Sie die Augen und stellen Sie sich das Nervengeflecht, das sich um den Nabel herum befindet, vor wie eine leuchtend gelbe Kugel oder wie die strahlende Sonne.

3 Atmen Sie tief ein und lenken Sie mit dem Ausatmen einen hell leuchtenden Energiestrom aus der Lunge über die Schultern durch die Arme, Hände und Fingerspitzen in das Sonnengeflecht. Stellen Sie sich vor, wie es sich mit Energie auflädt wie eine Batterie.

4 Sprechen Sie laut oder leise: »Ich bin die strahlende Sonne meines Lebens, gesund und stark.« Sagen Sie noch einmal: »Ich bin die strahlende Sonne meines Lebens.«

5 Lösen Sie die Hände und spüren Sie kurz nach. Wiederholen Sie die Übung siebenmal.

A

4

Die Übungen auf einen Blick: Yoga für eine ausgeglichene Psyche und Lebensfreude

Baum im Wind

Heldenstellung
Virabhadrasana

Gestreckte Seitdehnung
Trikonasana

Schmetterling
Baddha Konasana

Vierfüßlerstand mit gestrecktem Bein
Kutilangasana

Schulterbrücke

Panther **Pundarikamasana**

4

Bär **Rkshasasana**

Atem der summenden Biene
Bhramari-Atmung

Aufladung des
Sonnengeflechts

Yoga für einen starken Rücken und bewegliche Gelenke

Die Wirbelsäule – tragendes Element

Die Wirbelsäule stellt die zentrale Achse des Körpers dar. Sie besteht aus Hals-, Brust- und Lendenwirbelsäule und endet in mehreren Wirbeln, die zu Kreuz- und Steißbein verschmolzen sind. Im Inneren der Wirbelsäule verläuft gut geschützt von den starken Wirbelkörpern der zentrale Rückenmarkskanal, aus dem die Nerven für den gesamten Körper seitlich austreten. Die meisten körperlichen Beschwerden haben direkt oder indirekt mit der Wirbelsäule bzw. mit den entsprechenden aus der Wirbelsäule austretenden Nerven zu tun. Es lohnt sich also, dieses Programm regelmäßig zu üben, um nicht nur die Stabilität zu erhalten, sondern auch eine optimale nervliche Versorgung der inneren Organe zu gewährleisten.

Eine wichtige Rolle spielen die Bandscheiben. Wie Wasserkissen liegen sie zwischen den einzelnen Wirbelkörpern und sind zuständig dafür, Stöße und Belastungen abzupuffern. Sie sorgen dafür, dass der Abstand zwischen den einzelnen Wirbelkörpern, aus denen die Nerven austreten, aufrechterhalten wird. Eine Verkleinerung des Zwischenraums, wie er durch eine schmaler gewordene Bandscheibe entsteht, kann zu Nervenreizungen und Schmerzen führen. Wird der äußere Faserring der Bandscheibe brüchig, kann der innen liegende Kern seitwärts oder nach hinten austreten, und es kommt zu einem Bandscheibenvorfall. Um dies zu vermeiden, sollten Rücken-, und Becken-

Rückenmudra Die Hände vor der Körpermitte halten, Daumen, Zeigefinger und Ringfinger der linken Hand aneinanderlegen und die anderen Finger strecken. Der Daumen der rechten Hand liegt auf dem linken Handrücken unter dem kleinen Finger, die anderen Finger der rechten Hand umschließen die linke und drücken gegen den linken Daumenballen.

Der Rücken trägt auch psychische Bürden

Im psychischen Sinne heißt »Rückgrat beweisen« den eigenen Wert unter Beweis zu stellen oder zu zeigen, dass man etwas durchstehen kann. Sprachliche Bilder wie »aufrichtig« (aufrecht) sein, sich nicht »verbiegen« lassen, sich einer Sache mutig »stellen« oder etwas nicht mehr »ertragen« können weisen ebenfalls auf die Beziehung zu Rücken und Wirbelsäule hin. Beachten Sie bei Rückenbeschwerden unbedingt auch diesen psychischen Aspekt.

boden- und vor allem auch die Bauchmuskulatur zum Beispiel durch Yoga-übungen regelmäßig gekräftigt werden.
Doch Vorsicht: Bei länger andauernden Rückenschmerzen muss unbedingt eine ärztliche Abklärung erfolgen.

Muskeln – die bewegende Kraft

All die verschiedenen Muskeln – die dicksten wie etwa die Gesäßmuskeln ebenso wie die kleinsten, etwa jene, die unsere Augen bewegen – müssen durch ständiges Training in Form gehalten werden. Eine besonders wichtige und oft vernachlässigte Muskelgruppe ist die Beckenbodenmuskulatur. Aufgebaut aus drei übereinanderliegenden Schichten, sorgt sie dafür, dass die Beckenorgane den nötigen Halt haben, der Rücken aufrecht bleibt und die Hüftgelenke stabilisiert werden.

Gelenke – Flexibilität in jede Richtung

Die mehr als 100 Gelenke in menschlichen Körper erlauben Beweglichkeit in die verschiedensten Richtungen. Dank der Gelenke können wir Beine und Arme anwinkeln, uns nach vorne und hinten beugen und die Blickrichtung durch Drehen des Kopfs ändern. Besonders strapaziert werden im Lauf des Lebens die Hüft- und Kniegelenke. Sie sind deshalb mit wasserkissenartigen Säckchen (Schleimbeuteln), mit halbmondförmigen Knorpeln (Menisken) sowie mit Halt gebenden Bändern und Sehnen ausgestattet. Nur so sind z. B. die Kniegelenke optimal in der Lage, zusammen mit den anderen Gelenken ihre Aufgaben zu erfüllen, etwa Vorwärtsgehen zu ermöglichen oder beim Gehen einen Teil der Stoßenergie abzupuffern. Die Yoga-Übungen eignen sich in besonderer Weise, die Gelenke stabil und beweglich zu halten.

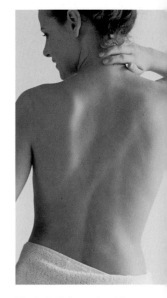

Muskelkräftigung bewirkt psychische Stärke Wer seinen Rücken trainiert, wird auch mit seelischen Lasten besser fertig.

5

Was Sie von diesen Übungen erwarten können

→ Kräftigung und Dehnung von Rücken-, Bauch- und Beckenbodenmuskulatur
→ verbesserte Beweglichkeit der Wirbelsäule und der Gelenke
→ bessere Versorgung der Bandscheiben durch die umliegenden Gefäße
→ Vorbeugung gegen Rückenschmerzen, Linderung bestehender Beschwerden
→ verbesserter Energiefluss in der Wirbelsäule

Berghaltung **Tadasana**

ACHTUNG → die Berghaltung ist die Ausgangsposition für alle Standhaltungen
WICHTIG → Konzentration auf die Wirbelsäule
CD → Track 24

1 Nehmen Sie eine aufrechte Standhaltung ein, die Füße stehen parallel und hüftbreit. Konzentrieren Sie sich auf die drei Auflagepunkte Ihrer Füße: Großzehenballen, Fersen und Kleinzehenballen.

2 Verteilen Sie das Gewicht gleichmäßig auf beide Füße, halten Sie dabei größtmöglichen Kontakt zum Boden.

3 Richten Sie das Becken auf, spannen Sie den Beckenboden leicht an und ziehen Sie das Steißbein etwas nach unten.

4 Ziehen Sie die Kniescheiben nach oben, indem Sie die Muskeln der Oberschenkel anspannen. Drehen Sie die Oberschenkel etwas nach außen, dabei öffnen Sie den oberen Bereich der Schenkel, dort wo sie in den Rumpf übergehen.

5 Richten Sie den Brustkorb und den Nacken auf, die Wirbelsäule streckt sich bis hinauf zum Scheitel. Arme und Schultern sind locker und sinken von den Ohren weg nach unten, die Handflächen und die locker gestreckten Finger zeigen zu den Oberschenkeln. **A**

6 Das Gesicht ist entspannt, der Blick geht geradeaus. Atmen Sie tief und gleichmäßig fünf bis sieben Atemzüge.

7 Lenken Sie die Aufmerksamkeit auf die Wirbelsäule, die fest und stabil und gleichzeitig beweglich ist. Stellen Sie sich vor, Sie könnten in jedem Wirbel – vom Steißbein bis zum Nacken – ein Licht anzünden, bis die ganze Wirbelsäule leuchtet.

Vorbeuge **Prasarita Padottanasana**

WICHTIG	→ Konzentration auf Stabilität in den Beinen und im Becken
VORSICHT	→ bei hohem Blutdruck oder hohem Augendruck
HILFEN	→ die Hände auf einem Hocker abstützen, um dann die Dehnung langsam zu steigern (gilt auch bei Rückenbeschwerden)
CD	→ Track 25

1 Stellen Sie sich mit weit gegrätschten Beinen auf eine rutschfeste Unterlage. Der Rücken ist aufgerichtet, die Schultern entspannt, die Hände liegen auf der Außenseite der Oberschenkel. Lassen Sie Ihr Gewicht von den Schultern nach unten sinken. **A**

2 Beugen Sie sich aus den Hüften heraus mit geradem Rücken nach unten, Hals und Nacken bleiben dabei lang gedehnt in Verlängerung der Wirbelsäule, die Ellbogen sind gebeugt, die Hände oder Fingerspitzen werden zwischen den Füßen auf dem Boden abgelegt. Lassen Sie dabei mögliche Spannungen in den Schultern los. **B**

3 Während die Außenseiten der Füße zum Boden gedrückt werden, dehnen Sie die Sitzhöcker himmelwärts. Atmen Sie dabei tief und gleichmäßig.

4 Winkeln Sie die Knie an und kommen Sie mit geradem Rücken wieder in den aufrechten Stand. Lassen Sie die Schultern zur Entspannung mehrmals locker vorwärts und rückwärts kreisen.

5

Shivas Tänzerin

WICHTIG	→ Konzentration auf Leichtigkeit und Beweglichkeit
HILFEN	→ sich an eine Wand lehnen, bis Sie das Gleichgewicht selbst halten können
CD	→ Track 26

1 Nehmen Sie die Berghaltung ein (s. Seite 76). Stellen Sie den rechten Fuß einen Schritt vor, die Fußspitze etwas nach außen gedreht. Verlagern Sie Ihr Gewicht auf den rechten Fuß und stellen Sie die linke Ferse an den rechten Knöchel.

2 Heben Sie den rechten Arm auf Brusthöhe, die Handfläche zeigt nach vorne, die Finger sind gestreckt.

3 Winkeln Sie den linken Arm an, sodass sich Ihre linke Handfläche etwa 20 Zentimeter vor der Brust befindet. **A**

4 Beugen Sie das rechte Knie und verlagern Sie das ganze Gewicht auf das rechte Bein. Der Kopf ist gerade aufgerichtet, die Schultern entspannt.

5 Heben Sie das angewinkelte linke Bein, bis sich der Fuß auf Höhe des rechten Knies befindet. **B**

6 Halten Sie diese Position eine Weile, während Sie tief und fließend atmen. Lösen Sie dann die Haltung auf und spüren Sie kurz nach.

Haltung des Kindes **Garbhasana**

WICHTIG	→ Konzentration auf Einatmen–Aufrichten, Ausatmen–Beugen
VORSICHT	→ bei Knieproblemen und bei hohem Blutdruck nicht zu lange in der Haltung bleiben
HILFEN	→ ein Kissen unter die Stirn und eine zusammengerollte Decke auf die Fersen legen
CD	→ Track 27

1 Ausgangsstellung ist der Kniestand, Die Knie und Füße sind hüftbreit auseinander. Richten Sie den Rücken auf und lassen Sie das Gewicht von den Schultern über die Hüften nach unten sinken; stellen Sie sich vor, wie Sie es über die Knie in die Matte abgeben.

2 Legen Sie die Hände, die Finger nach unten zeigend, auf den unteren Rücken. **A**

3 Beugen Sie sich mit dem Ausatmen nach hinten, ziehen Sie dabei das Steißbein nach vorne und das Schambein bauch-wärts nach oben. Der Nacken bleibt gedehnt in Verlängerung der Wirbelsäule.

4 Während Sie tief atmen, lassen Sie Ihre Wirbelsäule immer länger werden.

5 Setzen Sie sich mit dem nächsten Ausatmen auf Ihre Fersen. Senken Sie dann den Oberkörper mit gestreckten Armen und geradem Rücken zum Boden. Die Stirn liegt auf dem Boden, der ganze Rücken, Nacken und Kopf können sich dabei entspannen. **B**

6 Einatmend spannen Sie die gestreckten Arme an und kommen mit geradem Rücken zurück in den Fersensitz, dann in den Kniestand. Wiederholen Sie die Bewegungsabfolge mehrmals dynamisch. Die Aufrichtung unterstützen Sie, indem Sie die Bauchmuskulatur anspannen.

7 Spüren Sie im Fersensitz nach.

5

Kobra **Bhujangasana**

WICHTIG
VORSICHT

HILFEN
CD

→ Konzentration auf Öffnung im Brustbereich
→ bei Bandscheibenproblemen ein Kissen unter den Bauch legen
   und besonders auf Aktivierung der Beckenbodenmuskulatur achten
→ ein Kissen unter den Bauch legen
→ Track 28

1 Legen Sie sich auf den Bauch, die Stirn auf den Boden. Die Beine sind gestreckt, die Fußrücken liegen auf.

2 Legen Sie die Hände neben die Schultern, die Ellbogen liegen dabei so nahe wie möglich am Körper.

3 Spannen Sie den Beckenboden sowie Gesäß- und Oberschenkelmuskeln an. Heben Sie einatmend Kopf, Oberkörper und Hände vom Boden ab, die Handflächen zeigen nach vorne. Ziehen Sie die Schultern nach hinten unten. **A**

4 Halten Sie die Spannung einige Atemzüge lang und kommen Sie ausatmend in die Ausgangsstellung zurück.

5 Spannen Sie wieder die Becken- und Beinmuskulatur an und heben Sie einatmend Kopf und Oberkörper ab; diesmal bleiben die Hände am Boden, die Ellbogen so nahe wie möglich am Körper. Heben Sie den Oberkörper nur so weit, dass das Becken noch am Boden bleibt. Öffnen Sie den Brustkorb und ziehen Sie die Schultern nach unten **B**. Atmen Sie tief in den ganzen Brustkorb hinein.

6 Legen Sie ausatmend Oberkörper und Kopf ab und spüren Sie kurz nach. Gehen Sie zur Entspannung in die Rückenlage und ziehen Sie die Knie zur Brust heran.

Gleichmäßiges Atmen **Sama Vritti Pranayama**

WICHTIG → Konzentration auf die Visualisierung des Energiestroms
CD → Track 29

1 Legen Sie sich auf den Rücken, stellen Sie die Beine hüftbreit auf, die Arme liegen neben dem Körper, die Handflächen zeigen nach oben.

2 Lassen Sie mit einem deutlich hörbaren Ausatmen die Beine in die Streckung gleiten, die Füße fallen locker nach außen, die Arme werden ebenfalls nach außen geführt. **A**

3 Werden Sie sich zunächst Ihres natürlichen Atems bewusst. Nach einiger Zeit beginnen Sie in Gedanken zu zählen. Atmen Sie vier Takte lang ein, dann vier Takte aus. Führen Sie die Übung vier- bis fünfmal durch.

4 Lenken Sie jetzt Ihre Aufmerksamkeit und Ihren Atem in die Wirbelsäule. Stellen Sie sich dabei vor, dass der Atem durch die Wirbelsäule fließt, etwa in Form einer Lichtsäule oder einer Heilfarbe (zum Beispiel Grün oder Violett). Lassen Sie dabei den Atem vom Steißbein bis zum Hinterkopf auf- und absteigen. Wiederholen Sie diese Übung zehn- bis zwanzigmal.

5 Spüren Sie nach, ob Sie noch irgendwo eine körperliche Anspannung wahrnehmen können und lassen Sie diese gegebenenfalls los. Lassen Sie auch emotionale oder mentale Anspannungen mit dem Ausatmen los.

A

5

Die Übungen auf einen Blick: Yoga für einen starken Rücken und bewegliche Gelenke

Berghaltung
Tadasana

Vorbeuge
Prasarita Padottanasana

Shivas Tänzerin

Haltung des Kindes **Garbhasana**

Kobra **Bhujangasana**

Gleichmäßiges Atmen **Sama Vritti Pranayama**

5

Mit Yoga
Stress und Erschöpfung
positiv begegnen

Stress beansprucht den Körper intensiv

Der kanadische Stressforscher Hans Selye unterteilt die Stressreaktionen des Körpers in drei Phasen: In **Phase eins** macht der Körper alle verfügbaren Kräfte mobil, um mit den Folgen der Stressbelastung fertig zu werden. Dabei unterscheidet der Organismus nicht, ob der Stress durch Zeitdruck, durch übermäßige Arbeitsbelastung oder durch ein seelisches Problem ausgelöst ist; die Ausschüttung der Stresshormone und die Reaktion des Körpers sehen immer gleich aus. In dieser ersten Phase wirkt der Mensch oft sehr energetisch, manchmal geradezu überdreht: Die ausgeschütteten Hormone führen unter anderem zu verstärkter Durchblutung der Muskulatur und zu erhöhter Wachsamkeit. Der Mensch scheint in jeder Hinsicht im Vollbesitz seiner Kräfte zu sein.

Hält die Situation an, entstehen bereits in **Phase zwei** unangenehme Empfindungen; der Widerstand gegen die Überforderung wächst, und zugleich auch das Gefühl von Ohnmacht, weil es offenbar unmöglich ist, den Druck loszulassen oder die Situation zu verändern. Zugleich nimmt die Widerstandskraft gegen andere meist unvermeidliche Stressoren wie Lärm- oder Umweltbelastung ab. In dieser Phase greifen Menschen oft zu Aufputschmitteln wie Alkohol oder Zigaretten. Auch Fernsehen und Spiele dienen als trügerischer Ausweg aus der Stressfalle.

Pran Mudra gegen Stress und Erschöpfung Die Hände in Sitzhaltung auf die Oberschenkel legen, die Handflächen zeigen nach oben, die Zeige- und Mittelfinger sind gestreckt. Die Ring- und kleinen Finger anwinkeln und mit den Daumen sanft gegen die Nägel der Ring- und kleinen Finger drücken.

Achten Sie auf Ihre Gedanken!

Negative Gedanken sind oft unbewusst die größten Stressfaktoren, durch sie werden sofort Stresshormone freigesetzt. Dem entgegen wirken positive Affirmationen wie zum Beispiel »Jeder Atemzug lädt mich mit neuer Lebenskraft auf.« Und nehmen Sie sich Zeit für kleine Denkpausen. Bauen Sie kreative Oasen in Ihr Leben ein, wie die Vorstellung eines erfrischenden Bades im See oder in einem Wasserfall. Tönen Sie Vokale, wenn Sie Stress abbauen möchten, oder Konsonanten: »P, P, P«, »T, T, T«, »K, K, K, K«, »S, S, S, S«.

Dauerstress macht schleichend krank

Wenn keine Veränderung erfolgt, läuft das Fass allerdings irgendwann über. **Phase drei:** Die Dauerausschüttung von Stresshormonen belastet den ganzen Körper. Jetzt wird meist auch das Immunsystem geschwächt, das in enger Verbindung mit dem Hormonsystem steht. Die Anfälligkeit für Infektionen und Allergien steigt. Die Erschöpfung wird chronisch, weil der Organismus die Anpassung an die vielen Stressfaktoren nicht mehr leisten kann.

Yoga als Frühwarnsystem

Wann der Organismus von der noch kompensierbaren Stressphase in die den Körper überfordernde Phase umschaltet, bestimmt Ihre Stresstoleranz. Beobachten Sie genau, wann die positiven Gefühle von Antrieb und Lebendigkeit, die am Anfang stehen, in negative oder gar krank machende umschlagen. So verhindern Sie negativen Stress. Durch die tägliche Praxis der Körperübungen lernen Sie Ihren Körper immer besser kennen. Sie werden spüren, wann die Übungen leicht gehen und wann sie Ihnen schwerfallen, weil Sie verspannt, müde oder erschöpft sind. Am wichtigsten ist es, sich täglich einmal Zeit für sich zu nehmen. Routine und Rituale sparen bekanntlich Energie. Üben Sie das vorgeschlagene Programm also täglich. Bei Zeitmangel wählen Sie zwei oder drei Übungen aus. Ist bereits ein chronischer Erschöpfungszustand eingetreten, sollten Sie sehr liebevoll und achtsam mit sich umgehen und sich auch bei den Übungen nicht überfordern. In diesem Fall eignen sich besonders Entspannungs- und Atemübungen.

Zeit für Sie selbst Wenn Sie Ihr Yoga-Programm jeden Tag durchführen, schaffen Sie ein Ritual, mit dem Sie abschalten und entspannen können.

Was Sie von diesen Übungen erwarten können

→ Stressvorbeugung durch verbesserte Körperwahrnehmung

→ frühzeitiges Erkennen und rascher Abbau von Stress

→ die Schlafqualität wird verbessert

→ schnellere Regeneration, Aufbau von neuer Energie

→ mit zunehmender Übung rasche Entspannung im Alltag

→ Beruhigung der Gedanken, Schaffung innerer Klarheit

→ schnelle Hilfe für den Alltag: bereits die Vorstellung einer Übung, während man ruhig atmet, entspannt

6

Sonne **Suryasana**

→ Konzentration auf den Energiefluss in der Wirbelsäule

A

1 Nehmen Sie die Berghaltung ein (s. Seite 76), stellen Sie die Füße etwas weiter als hüftbreit auseinander. Öffnen Sie das Becken, indem Sie die Oberschenkel etwas nach außen drehen und das Steißbein nach unten ziehen.

2 Entspannen Sie die Schultern und geben Sie das Gewicht über die Hüften, Knie und Füße an den Boden ab.

3 Drehen Sie die Handflächen nach vorne und dehnen Sie die Arme über die Seiten nach oben, bis sie schulterbreiten Abstand zueinander haben. Die Handflächen zeigen nun zueinander. Senken Sie die Schultern ein wenig und dehnen Sie den Nacken lang. A

4 Stellen Sie sich vor, wie Sie über die Fußsohlen Energie aus der Erde und über die Hände Sonnenenergie in sich aufnehmen. Laden Sie sich mit dieser Energie auf, bis alle Körperzellen neue Kraft getankt haben.

5 Drehen Sie die Handflächen nach außen und führen Sie die Arme langsam ausatmend zum Körper zurück.

Katze **Viralasana**

→ Konzentration auf die Beweglichkeit der Wirbelsäule
→ eine Decke unter die Knie legen

1 Nehmen Sie den Vierfüßlerstand ein, die Schultern stehen über den Händen, die Knie sind hüftbreit auseinander, die Hüften über den Knien.

2 Heben Sie einatmend den Kopf und schieben Sie das Kinn nach vorne. Der Rücken bleibt in einer geraden Linie. **A**

3 Ausatmend runden Sie den Rücken und ziehen den Bauch dabei ein. Die Schulterblätter sind dabei weit auseinander, die Muskeln des oberen Rückens und

Nackens sind entspannt. Ziehen Sie das Steißbein in Ihrer Vorstellung durch die Beine nach vorne, sodass der untere Rücken ganz rund wird. **B**

4 Lassen Sie eine fließende Bewegung entstehen, indem Sie mehrmals vom geraden zum runden Rücken wechseln. Setzen Sie sich abschließend auf die Fersen und spüren Sie nach.

A

B

Vorwärtsbeuge mit Grätsche **Paschimottanasana**

WICHTIG	→ Konzentration auf den unteren Rücken und die Innenseiten der Beine
VORSICHT	→ bei Rückenschmerzen und Hüftbeschwerden
HILFEN	→ die Beine während der Übung aufgestellt lassen

1 Setzen Sie sich mit aufgestellten Beinen auf den Boden, die Knie so weit wie möglich auseinander. Lassen Sie die Beine nach außen-vorne weggleiten, sodass sie in eine weite Grätsche kommen.

2 Ziehen Sie die Fußspitzen zum Körper heran. Richten Sie den Rücken auf, der Nacken bleibt lang, der Blick ist nach unten und vorne gerichtet. Legen Sie die Hände nebeneinander zwischen die gegrätschten Beine. **A**

3 Schieben Sie langsam ausatmend die Hände etwas nach vorne, sodass der untere Rücken gedehnt wird und der Oberkörper in Richtung Boden kommt.

4 Legen Sie wenn möglich die angewinkelten Unterarme auf dem Boden ab. Gehen Sie dabei nur so weit, wie es Ihnen noch angenehm ist, und bleiben Sie einige Atemzüge in dieser Haltung. **B**

5 Lösen Sie die Übung auf, indem Sie den Rücken aufrichten, die Beine wieder anwinkeln und die Knie zusammenbringen. Legen Sie zur Entspannung die Stirn auf die Knie.

Drehung im Schneidersitz **Sukhasana**

→ Konzentration auf die Drehung der Wirbelsäule
→ gehen Sie achtsam in die Drehung, um Rückenschmerzen zu vermeiden
→ eine gefaltete Decke oder ein Kissen unter die Sitzhöcker legen

1 Setzen Sie sich im Schneidersitz auf den Boden, sodass die Unterschenkel auf den Füßen ruhen, das rechte Bein befindet sich vor dem linken. Der Rücken bleibt aufgerichtet, die Hände liegen neben den Hüften. **A**

2 Drehen Sie sich nach rechts, legen Sie die linke Hand auf das rechte Knie und die rechte Hand in die Mitte hinter Ihren Rücken. Achten Sie auf den geraden Rücken, während Sie sich mithilfe der

linken Hand noch etwas weiter nach hinten drehen. Schauen Sie mit gedehntem Nacken über die rechte Schulter und bleiben Sie einige Atemzüge in der Drehung. **B**

3 Kommen Sie ausatmend in die Ausgangsposition zurück, spüren Sie nach und wechseln Sie die Seiten, das heißt jetzt kreuzt der linke Fuß vor dem rechten, die Körperdrehung geht nach links.

6

Krokodil **Nakrasana** (beide Beine angewinkelt)

→ Konzentration auf Entspannung von Schultern und Nacken
→ ein kleines Kissen unter die angewinkelten Knie legen

1 Legen Sie sich auf die rechte Seite, die Arme sind auf Schulterhöhe nach vorne ausgestreckt. Winkeln Sie die Knie so weit wie möglich in Richtung Arme an. Füße, Knie, Arme und Handflächen liegen jeweils aufeinander. **A**

2 Einatmend heben Sie den gestreckten linken Arm, öffnen den Brustkorb und legen den Arm auf der linken Seite ab, der Kopf folgt dieser Drehung nach links, sodass Sie jetzt zum linken gestreckten

Arm schauen. Beide Handflächen sind nach oben gedreht, die Knie bleiben angewinkelt. Entspannen Sie aktiv die Schultern. **B**

3 Kommen Sie nach einigen Atemzügen ausatmend mit den Knien zur Mitte, spüren Sie kurz nach, bevor Sie mit der anderen Seite üben.

Pflug **Halasana**

WICHTIG VORSICHT	→ Konzentration auf Dehnung der Halswirbelsäule, Aufrichtung der Brustwirbelsäule
	→ bei hohem Blutdruck, hohem Augendruck oder Schwindel sowie bei Problemen mit der Halswirbelsäule
HILFEN	→ die Beine auf einem Stuhl ablegen oder die Knie beugen; eine gefaltete Decke unter den Rücken legen, die mit den Schultern abschließt, sodass der Kopf etwas tiefer liegt

1 Legen Sie sich auf eine Decke oder eine weiche Unterlage, die Arme liegen neben dem Körper, die Handflächen zeigen zum Boden, der Nacken ist lang, das Kinn zum Brustbein gezogen.

2 Ziehen Sie die Knie an die Brust heran, heben Sie das Becken und stützen Sie den Rücken mit den Händen ab. **A**

3 Legen Sie die Arme neben den Körper, die Handflächen zum Boden gepresst. Strecken Sie die Beine über den Kopf nach hinten, bis die Zehenspitzen den Boden erreichen. Intensivieren Sie die Rückwärtsbeuge, indem Sie die Sitzhöcker nach oben schieben und die Rückseiten der Beine dehnen. Richten Sie die Brustwirbelsäule auf und dehnen Sie den Nacken **B**. Bleiben Sie einige Atemzüge in dieser Haltung.

4 Winkeln Sie die Knie wieder über dem Kopf an, um die Stellung aufzulösen. Rollen Sie den Rücken langsam ab, bis Sie wieder in der Rückenlage angelangt sind.

Entspannungshaltung für die Beine

WICHTIG VORSICHT HILFEN	→ Konzentration auf Loslassen und Entspannung
	→ bei hohem Blutdruck und bei akuten Kopfschmerzen
	→ die Beine mit angewinkelten Knien an der Wand ablegen, das Gesäß ist dabei ein Stück von der Wand entfernt

1 Legen Sie sich auf Ihre rechte Seite parallel zu einer Wand. Schieben Sie den Oberkörper auf dem Boden nach vorne, bis Beine und Oberkörper einen rechten Winkel bilden. **A**

2 Drehen Sie sich auf den Rücken und legen Sie die nach oben gestreckten Beine an der Wand ab. Legen Sie die Hände auf den Bauch und atmen Sie tief und gleichmäßig. **B**

3 Winkeln Sie die Knie an und drehen Sie sich wieder auf die rechte Seite. Stützen Sie sich seitlich ab und setzen Sie sich auf.

Totenstellung mit Unterstützung **Savasana**

→ Konzentration auf Loslassen im Körper, Loslassen von jedem Gedanken

1 Legen Sie sich auf den Rücken mit einer zusammengefalteten Decke unter dem Oberkörper und einer Rolle (z. B. aus einem weichen Handtuch) unter dem Nacken. Die Arme liegen locker, nicht zu eng, neben dem Körper, die Handinnenflächen zeigen nach oben. Grätschen Sie die Beine leicht und lassen Sie die Füße locker nach außen sinken. Drehen Sie die Oberschenkel ein wenig nach außen, um die Leisten zu öffnen. A

2 Ziehen Sie Ihre Aufmerksamkeit von der Außenwelt zurück und nehmen Sie nur noch Ihren Körper und Ihre Atmung wahr. Verbinden Sie das Ein- und Ausatmen mit dem Begriff »jetzt«: »Jetzt bin ich ganz bei mir, ganz entspannt.« Stellen Sie sich eine Farbe vor, die sich während der Entspannung wohltuend in Ihrem Inneren ausbreitet und die Regeneration Ihres Körpers unterstützt.

3 Beginnen Sie mit der Entspannung bei den Füßen und gehen Sie Schritt für Schritt aufwärts:
→ Fußsohlen, Fußrücken, Fersen, Zehen – entspannt
→ Unterschenkel, Knie, Oberschenkel – entspannt
→ das Gesäß – entspannt
→ Becken und unterer Rücken – entspannt
→ der ganze Rücken – entspannt
→ Schultern, Arme und Hände – entspannt
→ Nacken und Kopf – entspannt
→ Gesicht, Stirne, Augenlider, Kiefergelenke, Mund, Zunge – entspannt
→ der ganze Körper – entspannt

4 Wenn Sie die Übung beenden wollen, verstärken Sie bewusst die Ausatmung, bis sich ein tiefes Einatmen oder Gähnen einstellt. Strecken und dehnen Sie sich ausgiebig, spannen Sie kurz den ganzen Körper an, entspannen Sie ihn wieder und setzen Sie sich langsam auf.

A

6

Die Übungen auf einen Blick: mit Yoga Stress und Erschöpfung positiv begegnen

Sonne **Suryasana** Katze **Viralasana**

Vorwärtsbeuge mit Grätsche
Paschimottanasana

Drehung im Schneidersitz **Sukhasana** Krokodil **Nakrasana**

Entspannungshaltung
für die Beine

Pflug **Halasana**

Totenstellung mit Unterstützung **Savasana**

6

Yoga für unterwegs

Kleine Übungen mit großem Potenzial

Bei diesem Programm geht es vor allem um Übungen, die Sie leicht ins tägliche Leben integrieren können, etwa im beruflichen Umfeld, auf Reisen, in der Schule oder auch im Krankenhaus. Gerade in schwierigen Alltagssituationen ist es hilfreich, eine Art Erste-Hilfe-Programm zur Verfügung zu haben. Die ausgewählten Übungen setzen keine Yoga-Erfahrung voraus und sind für jeden Menschen geeignet. Allerdings ist die Wirkung im akuten Notfall wesentlich größer, wenn die Yoga-Programme regelmäßig geübt werden. Studien belegen, dass Menschen, die über Yoga- oder Meditations-Übungspraxis verfügen, in schwierigen Situationen oft gelassener reagieren und sich nach Krankheiten schneller regenerieren. Bei diesen Personen zeigen schon kleine Übungen große Wirkung, zum Beispiel spürbare Entspannung in Schreck- und Schocksituationen oder Linderung von Ängsten.

Vielfältige körperliche und psychische Wirkungen

Für Konzentration und Gelassenheit

Atemübungen bringen nicht nur mehr Sauerstoff ins Gehirn, der für die Konzentration dringend benötigt wird, sondern wirken auch beruhigend und ordnend, sodass die geistigen Ressourcen besser genutzt werden können. Alle Übungen in diesem Programm eignen sich daher beispielsweise gut, um vor oder sogar während einer Prüfung ausgeführt zu werden. Sie lassen uns aber nicht nur konzentrierter, sondern auch gelassener werden: Denken Sie zum Beispiel an ein plötzlich auftauchendes körperliches Symptom wie heftigen Schwindel oder Herzrasen, das Sie beängstigt. Oder stellen Sie sich ein unangenehmes Gespräch mit der Chefin vor, das Sie schon im Vorfeld nervös und unsicher macht. Wenn Sie jetzt in einer stillen Ecke für ein paar Minuten die Königliche Haltung (Seite 98) einnehmen, Ihren Atem tiefer und ruhiger werden lassen oder sich kurz mit gehobenen Armen an die Wand lehnen und damit wieder besser Luft bekommen (Wanddehnung, s. Seite 102), werden Sie schnell mehr innere Klarheit und Standfestigkeit

Mudra für innere Balance
Die rechte Hand vor dem Herzen halten, den linken Daumen in die rechte Handfläche beugen und den rechten Daumen darüberlegen.

spüren. Während des Gesprächs können Sie dann auch noch die Drei-Finger-Mudra (Seite 105) halten, um Ihre Konzentration zu verstärken. Auf Reisen in Fahrzeugen entsteht häufig emotionaler Stress, weil man keine Kontrolle über die Situation hat – eine zusätzliche Belastung neben der geringen Bewegungsfreiheit. Außer körperlichen Entspannungsübungen (z. B. für den Nacken, Seite 99; für die Füße, Seite 100 f.) sind dann auch Übungen zur Beruhigung der Emotionen hilfreich. Sollten Sie unter Flugangst leiden, empfiehlt sich die Praxis des Inneren Lächelns (Seite 104) oder die Geste der Furchtlosigkeit (Seite 106).

Für mehr Stärke durch Zuversicht und Loslassen

Ein körperlich eingeschränkter Zustand ist meist mit Ängsten verbunden, etwa der Angst vor einer Operation, vor einem negativen Befund usw. Versuchen Sie daher, auch wenn Sie bettlägerig sind, kleinere Übungen durchzuführen, beispielsweise die des Inneren Lächelns (Seite 104) oder die Übung zur Energielenkung (Seite 107). In der Hatha-Yoga Pradipika, einer Yoga-Schrift aus dem 16. Jahrhundert, heißt es ausdrücklich, dass Yoga für jeden Menschen geeignet ist, auch für »den Alten, den Uralten, selbst den Kranken«. Fassen Sie immer wieder neuen Mut und verbinden Sie sich mit Ihrem Körper; Sie werden in jedem Fall einen Gewinn erfahren.

Auch Schmerzpatienten profitieren von Yogaübungen: Je angespannter man ist, umso stärker ist das Schmerzempfinden. Daher ist es hilfreich, den unvermeidlichen Schmerz zunächst anzunehmen und ihn nicht durch unnötigen Widerstand und Verkrampfung zu verstärken. Im nächsten Schritt können Sie ihn dann durch tiefes Ausatmen und die damit verbundene Entspannung lindern. Stellen Sie sich dabei vor, dass Sie mit jedem Ausatmen Spannung und Schmerz loslassen und mit jedem Einatmen Ruhe und Kraft aufnehmen.

Mehr Gelassenheit Atemübungen wirken ordnend auf den Geist, machen ruhiger und gelassener.

Was Sie von diesen Übungen erwarten können

→ Verbesserung der Konzentration

→ mehr Gelassenheit in schwierigen Situationen

→ Unterstützung auf Reisen

→ Hilfe in einem geschwächten Zustand

→ besserer Umgang mit Schmerz

7

Königliche Haltung

WIRKUNG → stärkt das Selbstbewusstsein

1 Setzen Sie sich aufrecht auf einen Stuhl, die Füße stehen parallel hüftbreit auseinander. Erhöhen Sie gegebenenfalls die Sitzfläche oder legen Sie etwas unter die Füße, sodass Sie entsprechend Ihrer Größe gut aufrecht sitzen können.

2 Legen Sie die Handflächen auf die Oberschenkel und lassen Sie die Schultern sinken. Heben Sie gleichzeitig das Brustbein etwas an und ziehen Sie das Kinn sanft zur Brust, sodass der Nacken lang wird. **A**

3 Entspannen Sie das Gesicht und heben Sie die Stirn, die Wangenknochen und die Mundwinkel etwas nach oben. Lassen Sie bei geschlossenen Lippen einen weiten Raum im Mund entstehen.

4 Stellen Sie sich vor, Sie sitzen auf einem Thron (wie eine ägyptische Pharaonin), seien Sie ganz bei sich und nehmen Sie Ihren Atem wahr. Auftauchende Gedanken lassen Sie wieder gehen. Wiederholen Sie mehrmals laut oder lautlos: »Ich bin, die/der ich bin.«

Nacken-Entspannung

WIRKUNG → entspannt den Kopf, vertieft die Atmung

1 Nehmen Sie eine aufrechte Sitzhaltung ein (auf einem Stuhl, im Schneider- oder Fersensitz), die Hände liegen auf den Oberschenkeln. Neigen Sie Ihr linkes Ohr zur linken Schulter. Stellen Sie sich dabei vor, der Kopf wäre schwer und die rechte Seite des Nackens würde immer länger.

2 Strecken Sie nach etwa 30 Sekunden den rechten Arm zur Seite aus und dehnen Sie die gespreizten Finger Richtung Boden **A**. Spüren Sie in die Dehnung hinein, atmen Sie tief und gleichmäßig.

3 Bewegen Sie das Kinn sanft vor und zurück, ohne eine Nickbewegung zu machen. Schieben Sie den Kopf vielmehr in der Schräghaltung vor und zurück.

4 Lösen Sie die Haltung auf, indem Sie den Arm entspannt zurücklegen und den Kopf aufrichten. Spüren Sie nach, bevor Sie mit der anderen Seite üben.

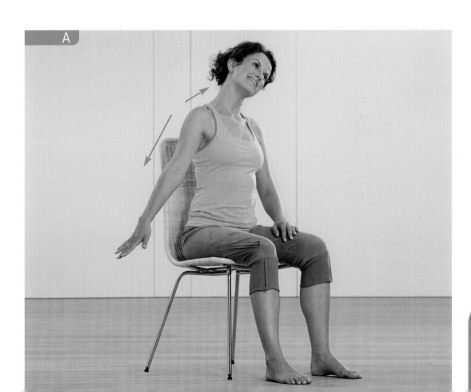

7

Fußübung I

→ verbessert die Durchblutung der Beine, entlastet die Venen

1 Setzen Sie sich mit gerade aufgerichtetem Rücken auf einen Stuhl, die Hände liegen locker auf den Knien, die Schultern sind entspannt.

2 Heben Sie einatmend das rechte gestreckte Bein etwas vom Boden ab und halten Sie die Spannung einige Atemzüge lang. Ziehen Sie dann kräftig die Fußspitzen in Richtung Körper **A**,

zählen Sie nun bis zehn und drücken Sie anschließend die Fußspitzen zum Boden **B**, während Sie noch einmal bis zehn zählen. Wiederholen Sie die Bewegung mehrmals, lassen Sie dann den Fuß in beide Richtungen kreisen.

3 Stellen Sie ausatmend das Bein ab und spüren Sie nach, bevor Sie mit dem anderen Bein üben.

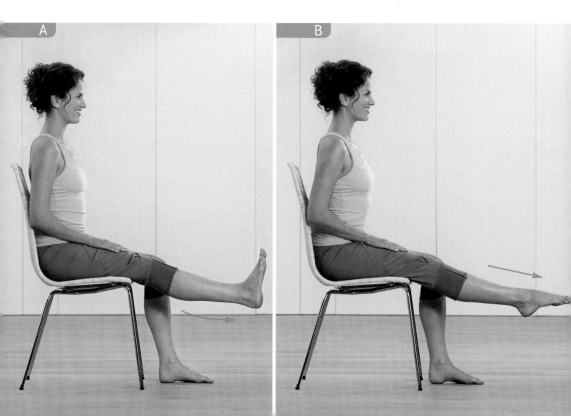

Fußübung II

WIRKUNG → verstärkt die »Bodenhaftung«

1 Stellen Sie sich aufrecht hin, die Füße etwa eine Faust breit auseinander. Heben Sie mehrmals die beiden großen Zehen, die anderen bleiben dabei am Boden **A**. Heben Sie jetzt die vier übrigen Zehen, die großen Zehen bleiben am Boden **B**. Achten Sie dabei darauf, dass die Knie nicht nach innen sinken. Mehrmals im Wechsel wiederholen.

2 Legen Sie drei kleine Kieselsteine oder kleine Halbedelsteine unter den rechten Fuß: einen Stein unter den Großzehenballen, einen unter die Ferse und einen

unter den Kleinzehenballen **C**. Bleiben Sie einige Minuten darauf stehen, bis Sie sich diese optimale Standhaltung auf den drei Punkten eingeprägt haben. Spüren Sie nach, bevor Sie zur anderen Seite wechseln.

3 Rollen Sie abwechselnd einen Tennisball unter beiden Fußsohlen. Massieren Sie damit den ganzen Fuß an der Innen- und Außenseite und versuchen Sie, so viel wie möglich von Ihrem Gewicht auf den Ball zu verlagern **D**. Spüren Sie nach, wie Sie jetzt auf diesem Fuß stehen, bevor Sie die Seite wechseln.

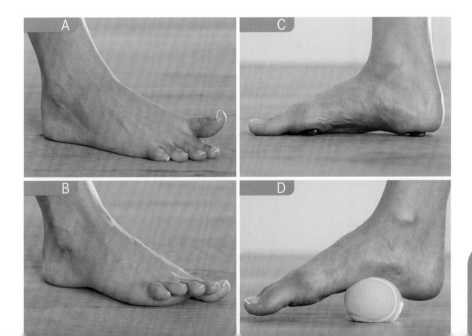

7

Wanddehnung

WIRKUNG   → führt zum Durchatmen, »entstresst«

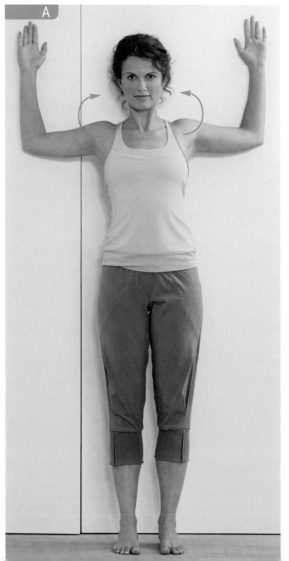

A

1 Lehnen Sie sich mit dem Rücken an eine Wand, die Füße sind dabei etwa 20 Zentimeter von der Wand entfernt. Der Körper bildet eine Linie, sodass das Gesäß die Wand nicht berührt.

2 Winkeln Sie die Unterarme 90 Grad an. Heben Sie die angewinkelten Arme, bis die Oberarme waagerecht sind. Legen Sie die Arme an die Wand und drücken Sie sich beim Ausatmen langsam von der Wand ab, ohne die Unterarme zu lösen A. Halten Sie die Muskelspannung zwischen Ihren Schulterblättern einige Atemzüge lang. Achten Sie darauf, dass der Nacken locker bleibt.

3 Lösen Sie mit dem Einatmen die Spannung und lehnen Sie die Schultern langsam zurück an die Wand. Wiederholen Sie die Übung mehrmals und lassen Sie den Oberkörper und die Arme zur Entspannung locker nach unten sinken.

Augenübung I

Augenübung II

WIRKUNG → fördert die Konzentration, entlastet die Augen

1 Setzen oder stellen Sie sich aufrecht hin. Strecken Sie einen Arm auf Augenhöhe aus, bilden Sie eine Faust, der Daumen zeigt nach oben.

2 Fixieren Sie mit beiden Augen den Daumen (ein leichtes Schielen) und ziehen Sie den Arm dabei ans Gesicht heran. Während Sie weiterhin den Daumen fixieren, berühren Sie mit ihm die Nasenspitze. Ziehen Sie den Daumen nach unten weg und folgen Sie ihm dabei so lange wie möglich mit den Augen. **A**

3 Wiederholen Sie die Übung mehrmals, schließen Sie dann die Augen und massieren Sie die Stelle zwischen den Augen und Ihre Schläfen mehrmals kreisend.

1 Setzen oder stellen Sie sich aufrecht hin. Schließen Sie die Augen und drehen Sie die Augäpfel bei geschlossenen Lidern nach oben, nach rechts, nach unten, nach links (mehrmals zuerst im Uhrzeigersinn, dann in der Gegenrichtung).

2 Reiben Sie die Daumenballen aneinander, bis sie warm werden, und legen Sie diese auf die geschlossenen Augen. **B**

Inneres Lächeln

WIRKUNG → tröstend und heilend
INFO → Sie brauchen etwa 15 Minuten Zeit für diese Übung

1 Legen Sie sich bequem auf den Rücken. Entspannen Sie zuerst Füße und Beine, Bauch und Becken, Rücken, Schultern, Arme und Hände und schließlich Hals und Kopf. Atmen Sie tief und gleichmäßig und lenken Sie die Aufmerksamkeit auf das Ausatmen.

2 Stellen Sie sich ein Lächeln auf Ihrem Gesicht vor, ein ganz feines Lächeln, das innen beginnt und sich langsam auf Ihre Gesichtsmuskulatur überträgt. Erinnern Sie sich dabei am besten an eine Situation, die ein Lächeln bei Ihnen hervorgerufen hat. A

3 Lächeln Sie sich nun selbst zu. Schicken Sie dieses innere Lächeln zuerst in Ihren Solarplexus, das Nervenzentrum etwas oberhalb des Nabels. Lächeln Sie dann den Organen in Ihrem Unterleib zu: Ihrem Darm, der Blase, den Nieren und den Fortpflanzungsorganen. Spüren Sie, wie sich Ihr Bauch unter Ihrem Lächeln entspannt. Vielleicht wirkt es auch ansteckend auf die Organe.

4 Lächeln Sie dann Ihrem Magen, Ihrer Bauchspeicheldrüse, der Leber und auch der Gallenblase zu. Lächeln Sie in Ihr Herz hinein, in Ihre Lungen und Bronchien.

5 Lächeln Sie zuletzt Ihrem ganzen Körper zu, Ihrem ganzen Wesen. Nehmen Sie sich selbst als ein Lächeln wahr.

A

Drei-Finger-Mudra

WIRKUNG → fördert Konzentration und innere Klarheit

1 Setzen oder stellen Sie sich bequem und aufrecht hin, schließen Sie die Augen und entspannen Sie Ihren Körper. Legen Sie die Spitzen von Daumen, Zeige- und Mittelfingern einer oder beider Hände aneinander. A

2 Wiederholen Sie dreimal: »Jedes Mal, wenn ich die drei Finger aneinanderlege, gehe ich auf eine tiefere und gesündere Stufe meines Bewusstseins, und ich bleibe ruhig und gelassen. So meistere ich jede Situation.«

3 Sie können diese Mudra auch über einen längeren Zeitraum halten (zum Beispiel während Sie lesen oder sich auf irgend etwas konzentrieren). Schütteln Sie nach der Auflösung dieser Mudra die Hände kurz aus.

7

Geste der Furchtlosigkeit **Abhaya Mudra**

WIRKUNG → hilfreich bei Abgrenzungsproblemen, löst Angst

1 Nehmen Sie eine stabile Sitzhaltung ein oder stehen Sie aufrecht und fest verwurzelt. Richten Sie den Rücken auf und dehnen Sie den Nacken lang.

2 Heben Sie Ihre rechte Hand auf Schulterhöhe, die Finger sind dabei gestreckt, die Handfläche weist nach vorne **A**. Die linke Hand können Sie entspannt in den Schoß legen oder mit den Fingerspitzen den Boden berühren. Wenn Sie in der Standhaltung üben, lassen Sie den linken Arm locker hängen.

3 Konzentrieren Sie sich auf Ihr Herz und atmen Sie tief und gleichmäßig.

4 Verbinden Sie sich innerlich ganz mit der Bedeutung dieser Handhaltung: mit Abgrenzung, Schutz und Mut.

5 Bleiben Sie in dieser Haltung, bis Sie das Gefühl haben, dass sie zu wirken beginnt. Lassen Sie die Hand sinken und spüren Sie nach.

Energiekugel

→ heilend und regenerierend

1 Legen Sie sich auf den Rücken, die Arme liegen neben dem Körper, die Handflächen zeigen nach oben. Bewegen Sie den Kopf einige Male hin und her und lassen ihn dann entspannt in der Mitte ruhen. **A**

2 Stellen Sie sich in Ihrer rechten Handfläche eine Energiekugel vor, die ihre Wärme und Energie in die ganze Hand abgibt. Lassen Sie sich Zeit, bis Sie sich diese Energie nicht nur vorstellen können, sondern Sie sogar fühlen.

3 Die Energiekugel rollt nun langsam in die Räume des rechten Armes hinein:
→ durch das Handgelenk
→ durch den Unterarm
→ durch das Ellbogengelenk
→ durch den Oberarm
→ durch das Schultergelenk und durch die ganze Schulter
→ durch die rechte Seite des Brustkorbs
→ durch das rechte Hüftgelenk und durch die ganze rechte Hüfte

→ durch das rechte Bein
→ durch den Oberschenkel, durch das Kniegelenk
→ durch den Unterschenkel, durch das Fußgelenk
→ durch den rechten Fuß

4 Die Kugel rollt nun in die linke Hand und gibt Energie in die linke Handfläche ab. Spüren Sie die Energie – stellen Sie sich diese als Wärme oder Licht vor.

5 Die Energiekugel rollt nun langsam in die Räume des linken Armes. Wiederholen Sie nun den ganzen Ablauf von Schritt 3 mit der linken Körperseite.

6 Die Energiekugel verwandelt sich jetzt in eine Lichtkugel und wandert in Ihren Hals und Kopf. Sie erfüllt den ganzen Hinterkopf, die Stirn, das Gesicht.

7 Vom Kopf aus verbreitet sich die Lichtkugel im ganzen Körper. Sie nehmen das Licht in Ihrem ganzen Körper wahr.

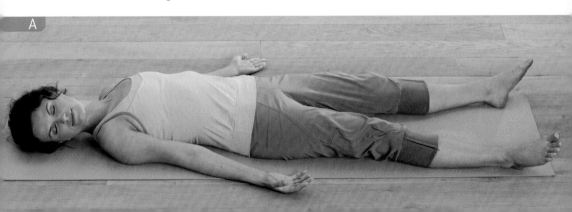

A

Die Übungen auf einen Blick: Yoga für unterwegs

Königliche Haltung

Nacken-Entspannung

Wanddehnung

Fußübung I

Fußübung II

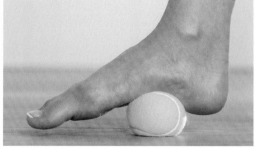

Drei-Finger-Mudra

Geste der
Furchtlosigkeit
Abhaya Mudra

Augenübung I

Augenübung II

Inneres Lächeln

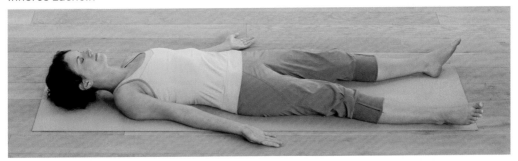

Energiekugel

7

Sachregister

Verzeichnis der Übungen

Literatur

Ulrike und Detlef Grunert:
Balance durch Ayurveda-Yoga mit CD: Stress abbauen und Energie-blockaden lösen. Die besten Yoga-Übungen für Ihren Ayurveda-Typ. Knaur Verlag, 2006

Röcker, Anna E.:
Yoga jeden Tag.
Irisiana Verlag, 2008

Röcker, Anna E.:
Yoga Kartenset.
Theseus Verlag, 2008

Röcker, Anna E.:
Trimurti – Wie Sie die Drei-heit von Kopf, Herz und Bauch in Einklang bringen. Goldmann, 2008

Swami Ambikananda Saraswati: Healing Yoga. Connections Book Publishing, 2006

Hilfsmittel

Yogistar Vertriebs GmbH
Wendeliusstr. 1 a
87487 Wiggenbach
www.yogistar.com
service@yogistar.com

Raum für Notizen

Raum für Notizen

Impressum

Genehmigte Lizenzausgabe für Verlagsgruppe Weltbild GmbH, Steinerne Furt, 86167 Augsburg

Copyright der Originalausgabe © 2009 by Südwest Verlag, einem Unternehmen der Verlagsgruppe Random House GmbH, 81673 München

Redaktionsleitung: Silke Kirsch

Projektleitung: Esther Szolnoki

Lektorat: Claudia Lenz, Essen

Satz und Produktion:
Knipping Werbung GmbH, Berg bei Starnberg

Umschlaggestaltung und -konzeption:
R. M. E. Eschlbeck/Kreuzer/Botzenhardt unter Verwendung von Fotos von Emely, München

Layoutkonzeption und Poster: X-Design, München

CD-Aufnahme:
Volker Gerth, opus-live GmbH, München

Bildredaktion und Leitung der Fotoproduktion:
Sabine Kestler

Bildnachweis: goodshoot/RF: 14; Catherina Hess: 5 (Anna Röcker); istockphoto/RF: 17; photodisc/RF: 9 (Angelo Cavalli), 16 (Don Farrall); Südwest Verlag: 15 (Rainer Hofmann), 20 (Emely), 75 (Bärbel Büchner)

Fotografie: Emely, München
(Christine Schneider und Brigitte Sporrer)

Styling: Romy Karbjinski

Haare/Makeup: Guilia Thailmair

Gesamtherstellung:
Offizin Andersen Nexö Leipzig GmbH, Zwenkau

Printed in the EU

978-3-8289-4299-8

2014   2013   2012

Die letzte Jahreszahl gibt die aktuelle Lizenzausgabe an.

Einkaufen im Internet:
www.weltbild.de

Die Autorin

Anna Elisabeth Röcker ist seit mehr als 25 Jahren in eigener Therapiepraxis in München tätig, seit vielen Jahren arbeitet sie mit einer besonderen Form der Musiktherapie (»GIM – Guided Imagery and Music«). Die Heilpraktikerin, Yogalehrerin und Musiktherapeutin absolvierte unter anderem eine mehrjährige Weiterbildung in »Analytischer Psychologie« am »C.G. Jung-Institut« in Zürich. Sie hält Vorträge und Seminare im In- und Ausland, unterrichtet seit vielen Jahren Yogalehrer und -lehrerinnen und ist Autorin erfolgreicher Gesundheits- und Lebenshilfe-Ratgeber.

© Catherina Hess